DANIEL SAMPER PIZANO

Viagra, chats y otras pendejadas del siglo XXI
(62 recetas para hacer reír)

punto de lectura

© 2006, Daniel Samper Pizano

© De esta edición:
2007, Distribuidora y Editora Aguilar, Altea, Taurus, Alfaguara, S.A.
Calle 80 No. 10-23, Bogotá (Colombia)
www.puntodelectura.com

ISBN: 978-958-704-613-7
Impreso en Colombia - *Printed in Colombia*

Ilustraciones de páginas interiores y cubierta: Matador
Diseño de cubierta: Ana María Sánchez B.

Diseño de colección: Punto de lectura

Impreso en el mes de noviembre de 2007
por Nomos Impresores.

249 - 1

DANIEL SAMPER PIZANO

Viagra, chats y otras pendejadas del siglo XXI
(62 recetas para hacer reír)

Al Negro Fontanarrosa

Contenido

Viagra, chats y otras pendejadas del siglo XXI

Yo soñaba desde chiquito con el futuro, con llegar al siglo XXI y poder fechar mi cuaderno con números empezados por 2. El día de mi primera comunión rogué a Dios lleno de fervor que toda mi familia ganara la salvación eterna (cuña de mi abuela), que se casara mi tía Liliana (cuña de mi mamá) y que me permitiera estar vivo cuando amaneciera el nuevo siglo. Era el único deseo realmente mío de esos tres que, según dicen, Dios le otorga a uno el día de su primera comunión.

Eso solicité, porque imaginaba que en el 2000 todos volaríamos en pequeños helicópteros personales, pasaríamos vacaciones en la luna, se habrían superado las enfermedades, no habría colegios, aprenderíamos las materias mediante alambres conectados a la cabeza, y yo estaría casado con una vecina mía, morena y de trenzas, por la que moría de amor infantil y tendría con ella ocho o nueve niñitos.

Y aquí estoy. Dios me cumplió en parte: tía Liliana murió soltera, pero estoy seguro de que ella, mi abuela y muchos otros miembros de mi familia hoy son felices inquilinos celestiales. (No garantizo lo mismo de Alicia, hermana de mi tía Liliana, que se casó tres veces y una vez le dio una bofetada a un cura). En cuanto a mi ruego,

11

logré aterrizar sin mayores contratiempos en el Tercer Milenio, en el siglo XXI, en el año 2000 y aún sigo aquí varios años después.

Pero el futuro no era como lo imaginaba. Esto es un descreste. En vez de helicópteros personales nos toca embutirnos en Transmilenios repletos. Ya ni siquiera es posible pasar vacaciones en Fusagasugá, porque se volvió insoportable. Dentro de poco tiempo, un cohete coreano mal disparado volará la luna en pedazos. Los colegios ocupan cada vez más horas en la agenda del estudiante. Y mi vecina morena se cortó las trenzas y casó con otro. Francés y conservador, para completar la tragedia.

Respecto al asunto de los ocho o nueve niñitos que pensaba tener, habría sido imposible conseguirlo. Porque para tener niños primero hay que encargarlos, y el siglo XXI le quitó toda poesía a lo que fue durante millones de años el delicioso deber de crecer y multiplicarse. Cuando hice la primera comunión, yo no sabía cómo se encargaban los niños, por supuesto. De haberlo sabido, me habría importado un comino la soltería de mi tía Liliana y, en vez de desperdiciar así un deseo que ni siquiera se me concedió, habría solicitado al Cielo experiencias mucho menos concesibles con la vecina morena.

Pero pocos años después llegué a saber cómo fabricar niños, cuando, al tocar la desmelenada adolescencia en nuestra puerta, el capellán del colegio nos recomendó que leyéramos mucha Biblia, «como en otros tiempos», porque estábamos en «la edad de las tentaciones». Yo obedecí. Y leyendo mucha Biblia, «como en otros tiempos», encontré el «Cantar de los cantares», que me ofreció un tiquete de ida sin regreso a la sensualidad:

EL ESPOSO: *Tus pechos son dos mellizos de gacelas que triscan entre azucenas…*

LA ESPOSA: *Mi amado introdujo por el agujero su llave, y mis entrañas se estremecieron por él.*

EL ESPOSO: *Tu ombligo es ánfora donde no falta el vino… Madrugaremos para ir a las viñas, y allí te daré mis amores…*

LA ESPOSA: *Mi amado me ha introducido en la sala del festín, y la bandera que contra mí alza es bandera de amor… Confortadme con pasas y reanimadme con manzanas, que desfallezco de amor…*

Ahora, al convertirme en habitante del siglo XXI, he descubierto que, al menos en este aspecto, eran mejores los tiempos bíblicos. Hoy no hay nada de ánforas, pechos como gacelas ni amores bajo la sombra de los viñedos. Si acaso, noviazgos por internet. Virtuales. Y «festines» por Skype. Y, en vez de pasas y manzanas, chats y videoconferencias.

En el siglo XXI, una escena sensual depende totalmente de la tecnología y la química, pues sucede más o menos así:

EL ESPOSO: Hagámoslo, pero prontico, porque mañana tengo un desayuno de trabajo.

LA ESPOSA: Ay, no Jairo, que estoy con jaqueca.

EL ESPOSO: Eso es por la manía de andar oyendo el i-pod a toda hora. Quítatelo por lo menos cuando te hablo…

LA ESPOSA: Pero para qué me quito los audífonos, sí tú siempre estás pegado al celular. Eso es lo que me da jaqueca.

EL ESPOSO: Tranquila, tranquila. Tómate esta gragea, que es un nuevo remedio contra el dolor de cabeza. No produce úlcera y evita el infarto del miocardio.

LA ESPOSA: Pero, Jairo, es que de ninguna manera podemos hacerlo, ¿no ves que no que estoy tomando la píldora?

EL ESPOSO: No problem. En el botiquín quedan unas de esas pastillas que se toman al día siguiente. Son las amarillas.

LA ESPOSA: Está bien, pues. Pero ahorita mismo te tomas tú un Viagra, para que no nos ocurra como el mes pasado. ¿Son estas pepas blancas, cierto?

EL ESPOSO: No, no, las azulitas, los rombos. La blanca es la simvastatina, para el colesterol.

LA ESPOSA: ¡No te puedo creer!... Pues yo pensaba que la simvastatina era la rosada.

EL ESPOSO: Te dije mil veces que la rosada es para la osteoporosis. No importa, conviene empezar a tomarla desde los 35 años.

LA ESPOSA: ¿Sabes qué? Mejor métete dos Viagras.

EL ESPOSO: Te juro que hoy no necesito Viagra, gorda. Al contrario: acabo de comprar unas píldoras de dapoxetina, que es un remedio maravilloso contra la eyaculación precoz. Estoy que me zampo medio frasco como freno de mano.

LA ESPOSA: ¿Tú con eyaculación precoz? ¿Y eso con quién estuviste esta tarde?

EL ESPOSO: Nada, mija, que encontré en el cuarto de tu mamá una Biblia y me puse a leer el «Cantar de los cantares».

LA ESPOSA: ¡Ay, no, con Biblia y todo, sí qué angustia! Mejor tomémonos cada uno un Prozac y dejémoslo para mañana.

De este horrible nivel son las pendejadas que nos ofrece como sorpresa el siglo XXI. Amores por internet, actos conyugales ayudados por el botiquín, sosiego prozaico. En otros tiempos, el varón que tenía problemas para alzar la bandera del amor recurría a lentas y sensuales ceremonias con pasas, manzanas y vino en el ombligo de la amada. Ahora, métale al Viagra. O la Viagra, porque ni siquiera sabemos si es macho o hembra. También en otros tiempos, si el varón se aceleraba, como le ocurría al buen Onán, acudía a la fórmula de repasar la lista de los Virreyes o recordar la tabla del tres:

«Tres por una, tres. Tres por dos, seis. Tres por tres, nueve; tres por cuatro doce, tresporcincoquince, tresporseistreintayseeeEEEEEeeeeeeeeeeeeeeeeeisss...»

Pero, al cabo de dos o tres advenimientos tempranos, ese mismo varón galopeador aprendía que el mejor remedio es ir despacito, poco a poco, con mucha pasa y mucha manzana, depositando más vinito en el ombligo y cuidando el zoocriadero de gacelas.

Ahora no. Un Viagra para acelerar, una dapoxetina para frenar y, si la cosa no funciona, par Prozacs para quedar tranquilos.

Yo me pregunto: ¿para ver semejantes pendejadas hicimos Dios y yo este esfuerzo tremendo de llegar al siglo XXI?

¡Duro con ellas, Sofía!

Tengo una nieta de cuatro años llamada Sofía que suele alegrar a todos con su carácter jovial y simpático. De vez en cuando, sin embargo, se enfrenta a objetos que no consigue dominar, y entonces pierde la paciencia y se convierte en una pequeña fiera.

Hace poco se atascó de manera irremediable la cerradura de la maleta en que guarda sus lápices de colores, y Sofía se enfrentó a ella como en un *round* de lucha libre: intentó forzarla con las manos, sin ningún éxito; luego la sacudió a patadas; y, cada vez más irritada, la golpeó con una escoba y saltó encima de ella. Pero la maleta no quiso abrirse. Entonces, para abandonar la guerra con un mínimo de dignidad, Sofía la escupió y se largó a jugar con la Barbie.

(Esta Sofía es la misma que, hace unos meses, cuando el profesor, por molestarla, indicó frente a todos sus compañeritos que no iría a su fiesta de cumpleaños, dejó el pupitre, se acercó al maestro y le dijo en voz baja con tono de reproche: «No seas hijueputica, Polo». Pero es, también, la que llama a mi perra Simona «cosita de amor» y le da unos besos en el hocico que un día le van a causar una infección. A la perra).

Creo que Sofía va a sufrir mucho en la vida por sus frecuentes combates contra las cosas, pero sufrirá menos que quienes viven en lucha perpetua contra sus semejantes. Por eso no vacilo en proponerla como ejemplo de una filosofía digna de ser imitada: pelee con las cosas, no con las personas.

Yo mismo he optado por descargar en los objetos eso que las chicas de moda llaman «energía negativa», y que antes denominábamos neuras o piedras. Me ha costado algunas magulladuras (un consejo: **nunca** intente aplicar la doble nelson a un sofá-cama que se resiste a doblar) y más de una falange machucada (cuando la guantera esté muy llena, **primero** saque el dedo y solo **después** ciérrela de un rodillazo), pero son magulladuras y machucones que me afectan a mí, y si acaso a las cosas, pero no a los demás.

Sospecho que nadie, ni siquiera el Papa o Nelson Mandela, puede decir que jamás entró en conflicto con un objeto. El que nunca haya tirado la primera piedra, debió de ser porque se le rompió la cauchera. Quien menos, ha dado un golpe al cajón rebelde para que acabara de cerrar. Quien más, le ha prendido candela a la casa cuando olvidó adentro las llaves del portón. Muchos han aplastado a martillazos el carburador que tosía, y casi todos hemos tirado por la ventana un bolígrafo sin tinta o roto en pedazos un disco rayado.

Acepto que pocas cosas resultan más ridículas que la pelea de un ser humano contra una cosa inerte. En mi larga vida de periodista he visto compañeros desesperados que rompían contra el piso una máquina de escribir, y secretarias fuera de sí que un buen día lanzaban el conmutador a la caneca. A todos ellos los comprendo. Mi consejo en esos casos es que conviene superar la ridiculez acudiendo al exceso. En vez de pegarle bofetadas a la máquina de escribir, hay que descolgar el hacha de incendios y destrozar el aparato con ferocidad. En vez de echar el teléfono a la caneca, arrojarlo al inodoro y soltar, aunque se inunden las cañerías del barrio.

Pero también soy consciente de que a menudo los enfrentamientos con las cosas terminan en victoria rotunda del ser humano. Más de una vez presencié cómo una buena patada en la espinilla de un aparato dispensador de gaseosas obligaba a la máquina a soltar la botella o devolver la moneda. También creo en la ley de la compensación. Si un teléfono público se traga la última moneda que tenía un ciudadano para una llamada urgente, el usuario adquiere el derecho inalienable de arrancarlo con furia de la pared y abrirle las entrañas con una almádena hasta recuperar su moneda.

Es cierto que la tecnología hace cada vez más inútil la lucha. Antes había radios que solo funcionaban a punta de cachetadas. Ahora es imposible pegarle a un *software*. Ni siquiera someterlo a una terapia de destornillador, porque se trata de un fantasma. El único remedio para los programas de computador es hundir CONTROL+ ALT+ SUPRIMIR. Y si no se arregla así, escupir la pantalla e irse a jugar con la Barbie.

Se ruega no traducir

Los párrafos siguientes pueden contener términos que molesten o escandalicen a lectores sensibles, por lo cual sugiero a personas propensas a irritarse con las palabras de color subido que abandonen de inmediato esta página y pasen a las secciones informativas de cualquier diario, donde encontrarán guerras, asaltos, asesinatos, violaciones, corrupción oficial, pobreza y otros temas que no las indignarán.

Allá, sin embargo, podrían tropezar con la noticia de que Ruanda tiene nuevo presidente. En septiembre, cuando lo eligieron, lo oí mentar varias veces por radio y televisión. Los locutores siempre vacilaron al pronunciarlo, y hasta variaron el acento para hacerlo menos ofensivo a oídos hispánicos. Y es porque este señor se llama Paul Kagame: «Kagame gana»... «Se posesiona Kagame»... «La difícil misión de Kagame». Ni volviendo esdrújula la palabra (Kágame) mejoraba la cosa.

En octubre murió en Texas un reducidor de arte que vendía piezas robadas durante la Segunda Guerra. Su nombre: Jack Meador. Como lo oyen. Quizás en alemán o en inglés mejora el asunto. Pero, leído en español, habla de una detestable incontinencia. Kagame en septiembre y Meador en octubre me hicieron ver las trampas ocultas que acechan a los apellidos en otras lenguas. Nunca sabremos si nuestro casto nombre es una atroz grosería en un idioma extranjero.

Verbigracia, la familia anglosajona Kagan está compuesta, entre otros, por un columnista (Robert), dos libretistas de televisión homónimas (Janet), un ingeniero (Jeff) y una artista textil (Sasha). Todos ellos muy renombrados. Todos ellos de prestigio. Todos ellos Kagan. Uno de los mayores escritores sicilianos del siglo XIX fue Giovanni Verga (1822-1840), autor del libreto de «Caballería rusticana» y orgullo de las letras italianas. (Su versión francesa podría ser el político francés Guy Penne). Parientes de Giovanni deben de ser otros Vergas regados por el mundo: Lisa, modelo; Angelo, poeta; Adela, pintora; Alberto, médico; Anthony, diputado de Boston. Es injusto que ellos no puedan presentarse en un país hispánico sin que alguien estalle en carcajadas o muera de asfixia al reprimir la risa. A menos que le valga poco.

En el costado exactamente opuesto hallamos a la poderosa National Association of Local Goverment Auditors de Estados Unidos, que se identifica con la sigla NALGA. Y lo hace con profusión y entusiasmo susceptibles de abochornar a sus afiliados latinos.

Para no alejarnos del tema, ojo a la marca escogida por los magos canadienses del diseño de páginas web: Kulo. Hay otros kulos: la financiera Iska Kulo (no me imagino cómo castigará a sus clientes morosos), un ejecutivo norteamericano (David) y un artista nórdico: Ikka Kulo. Igual palabra figura en el título de una canción folclórica israelí (*Todo el mundo*). Si mis nociones de hebreo no andan mal, kulo quiere decir mundo. Resulta tristemente lógico.

Los Condones son otra rancia estirpe anglo-sajona inmortalizada en el documento oficial de Estados Unidos sobre platillos voladores: el Informe Condon. De allí se deduce que la posición del gobierno sobre anticonceptivos ha de llamarse Informe Ovni. En muchos campos sobresalen los miembros de la ilustre familia: Anne (profesora), Eddie (músico de jazz), Robert (guitarrista), Bill (director de cine) y Mark, líder cristiano. Sospecho que este no será católico sino protestante, porque el Vaticano prohíbe los Condones.

En concordancia con este apellido está el del fotógrafo inglés Frances Cuka, que lo comparten, entre otros, el sociólogo Dana Cuka, el futbolista Eric Cuka y el artista croata Milijovi Cuka.

Un poco más arriba es posible encontrar a la calígrafa Joyce Teta, a la eficaz voleibolista gringa Susan Teta y a una firma polaca que, ignorante del español, escogió este como su nombre comercial. No está demasiado lejos del que adoptó un banco holandés: RaboBank. Es el mismo de un profesor de teología sueco: Gabriel Rabo.

Un apellido que huele mal en español es el de la artista japonesa Ichikawa Chucha, fenómeno que también ocurre con cierto personaje de la literatura sueca, Pippi Longstrump.

Los usuarios de estos nombres quizás desconocen lo mal que traducen al castellano. Pero mi obsesión es: ¿qué significarán los nuestros en otras lenguas? ¿Será mala palabra García en farsi? ¿Despertará sonrojos Vargas en bagobo? ¿Qué tal si Hernández es término ginecológico en romaní? ¿Sonarán feo Lemus en chino, Pataquiva en zulú, Uribe en ucranio?

En cuanto a mis apellidos, albergo temores. El primero significa «sin padre» en francés, y el segundo contiene dos sílabas poco promisorias. Ni el «Piz» ni el «Ano» me permiten guardar mayores ilusiones.

Retorno a las aulas

La felicidad de la infancia, la dichosa despreocupación del colegial, el esplendor de los quince años, el dulce pájaro de la juventud y otras proclamaciones por el estilo no son más que lemas falsos, frases hechas, pendejadas de poetas, pruritos con los que se pretende esconder la cruel realidad de los sardinos. Cruel realidad que —lo he dicho en varias ocasiones— no es otra que la de la ropa nueva que se queda pequeña al cabo de seis meses por problemas del crecimiento, la falta de plata, la inseguridad personal, el acné y, como si fuera poco, el colegio.

Uno ve esas publicaciones optimistas de comienzos de año que invocan el alegre regreso a las aulas, y sabe que han sido escritas por personas que ya no están en el colegio. La razón es muy sencilla: a ningún escolar le gusta poner fin a sus vacaciones para volver a madrugar a las cinco de la mañana, las tareas de geografía, las previas de matemáticas y las clases de inglés. Escolar que se respete sueña con unas vacaciones eternas, sin clases, sin tareas, sin madrugadas y sin exámenes.

No niego que tiene cierto encanto encontrarse de nuevo con los condiscípulos, recordar cómo aprovechó cada quien las vacaciones, hablar de las últimas noticias en materia de contrataciones de fútbol, comprar libros y cuadernos nuevos, estrenar alguna camisa (si el presupuesto familiar lo permite) y pensar qué vamos a hacer los próximos sábados y domingos.

Pero el encanto del regreso a las aulas termina pronto. Yo diría que aguanta una semana. Muy pronto aparecerá el profesor cuchilla que impone unos trabajos oprobiosos y que, de puro perro, saluda el nuevo año lectivo con una previa sorprendente de recapitulación del anterior. Antes de quince días el alumno estará otra vez saturado de tareas, lecturas, planas, lecciones, fogueos y trabajos. Y antes de un mes las vacaciones serán un recuerdo vago y lejano, y el feliz regreso a las aulas se habrá convertido en la rutina cotidiana del escolar, acechada por mil peligros académicos y maestros decididos a llenar todo minuto de tranquilidad con una tarea.

En ese momento ya no habrá bellas palabras que sirvan de consuelo. Estrenado lo poco que había por estrenar, reunidos de nuevo los amigos, agotado el relato de experiencias vacacionales, lo único que queda es un número aplastante de lecciones y, claro, las primeras malas notas del año. Bien puede recitar Rubén Darío («Juventud, divino tesoro, ya te vas para no volver»), que los estudiantes no tendrán tiempo ni voluntad para oír las falsas prédicas.

Pero no quiero ser completamente negativista. Sería injusto no mencionar los aspectos atractivos y aun memorables que el colegio ofrece. Lo que pasa es que suelen ser efímeros, y nunca coinciden con las labores académicas. Los recreos, por ejemplo, durante los cuales uno comparte una gaseosa con los amigos, a menos que deba sacrificar el mínimo rato de esparcimiento en concluir una tarea pendiente. Los partidos de fútbol, cuando ya han terminado las clases y los escolares logran dar patadas a un balón antes de que oscurezca, e incluso un rato después de que el sol se ha ido. Las escapadas de clase para colarse a un cine. Las horas del almuerzo. Los días festivos. Los fines de semana. Y las vacaciones, aunque sean las de Semana Santa, o por lo menos un puente con su correspondiente lunes Emiliani.

Así, pues, que yo me asombro cuando leo las ediciones especiales de revistas y diarios que abundan por estos días de vuelta a clase. Son ediciones engañosas alumbradas por caras sonrientes de estudiantes mercenarios y aquel título infalible: «El retorno a las aulas». No es cierto. «El retorno a las jaulas» sería el verdadero título, pero no se atreven a decirlo.

¡Cuánto han cambiado las bodas!

Cuando pensaba que ya lo había visto todo en este mundo, recibí una invitación a una boda en la que los novios anunciaban que, como aporte de sus invitados, determinaron comprar el cuadro de un famoso pintor y que la contribución a este regalo sería de 350.000 pesos por cabeza. Un parrafito en letra lila, casi ilegible, añadía que si el sobre de invitación abarcaba a una pareja, bastaría una sola cuota para los dos. Imaginé que la nota adicional era un acto de consideración, hasta cuando supe que mi mujer había recibido otra invitación a su nombre. O sea que esperaban tumbarnos 700.000 entre ambos.

Ahí decidí que había llegado el momento de pedir ayuda a Ileana Rodríguez Moreno, la más encantadora casamentera de América Latina, que desde sus cuarteles generales en Cartagena organiza tres clases de bodas: normales, curiosas y francamente insólitas. Todo lo hace con impasible sentido profesional. Si el novio pide que un pulpo le lleve la cola a la novia, Ileana solo preguntará: «¿De qué color quieres el pulpo?». Ella ha casado a solteros, a divorciados, a lunáticos que repiten matrimonio por cuarta vez, a muchachas con viejos y a viejas con muchachos. Si continúa reformándose la institución matrimonial, seguramente abrirá un departamento para bodas del mismo sexo, otro —en asocio con funeraria de primera categoría— para uniones «in artículo mortis», e incluso un servicio de asistencia veterinaria para el momento en que lo dejen a uno casarse con su mascota preferida o se oficialicen aquellos amores con «la pelá» que, según dicen, no son extraños en las tórridas tierras caribes.

No crean que exagero: todavía no hemos visto nada...

Ileana atiende toda suerte de caprichos sin que se altere su sonrisa espontánea y permanente. Nadie sabe tanto de organización de nupcias como ella. Su oficina cubre desde peticiones de mano (si la novia es mocha, ella suministra una preciosa extremidad de material impermeable) hasta noches de boda. En esta eventualidad, ella escoge el colchón extrafuerte, la champaña francesa, el *deshabillé* negro y la pastilla de viagra, que esconderá discretamente en la piyama del recién casado. Lo demás corre por cuenta de los novios. No todo puede ponerlo Ileana.

A lo largo del proceso, recomienda el traje a la prometida («Olvídate, mija, no se vería bien un vestido ombliguero de novia, y menos con ese embarazo de seis meses que tienes»); dispone la mesa de exhibición de regalos; monta la ceremonia religiosa («¿Prefieres que el cura sea bajito, para que luzcan más los contrayentes, o te da igual?»); compra las argollas; timbra las tarjetas; ordena el banquete; contrata la orquesta (sospecho que, además, dirige los ensayos y afina el piano); instruye los protocolos («No, señora, aunque usted sea la mamá de la novia, no es correcto que su consuegro la alce en brazos para salir de la iglesia»); consigue los meseros; alquila los pajecitos (Felipe, un sobrino mío, detentó mucho tiempo esta chanfa hasta que Ileana lo despidió por emborracharse en las fiestas y arrancarle el liguero a una novia: para entonces ya tenía 28 años); calienta el caldo para los amanecidos; y, cuando sobreviene el guayabo moral, seca el llanto a las solteronas, exige compostura al antiguo enamorado de la novia que se empeña en buscar al novio para pegarle, y evita que los invitados se lleven a la casa lo que no corresponde («Sí, caballero, un trozo de ponqué no hay ningún problema; pero el televisor es propiedad del restaurante, lo siento»).

Lo único que Ileana no garantiza es la felicidad conyugal; pero es que eso no lo garantiza nadie. Sin embargo, sirve de consuelo saber que, en caso de que el matrimonio no funcione, el departamento de divorcios de la oficina de Ileana lo atenderá gustosamente en jornada continua.

Yo también acudí a la asesoría matrimonial de Ileana, pero no fue porque estuviera planeando casarme de nuevo, como creyeron algunas ilusas lectoras de esta columna. (Aclaro, pues, que no hay abierta ninguna licitación nupcial, que no estoy en concurso, que las que mandaron su hoja de vida con fotos o videos domésticos eróticos pueden ir a recogerlos en el CAI más cercano). Llamé a Ileana porque recibí una invitación matrimonial impresa que advertía: «Favor no enviar artículos de regalo». Tan promisoria frase tenía una continuación lamentable: «Los novios agradecerán que deposite su obsequio en cheque personal, endoso o giro, en la cuenta bancaria indicada abajo». Y, al pie de la tarjeta, un número correspondiente a un banco.

Cuando pregunté a Ileana si esta clase de recomendaciones eran habituales o si daba poderes a mi abogado para demandar a los contrayentes, me contó que las bodas han cambiado mucho y que ahora es frecuente que los novios pidan el regalo en plata o cheque. Manifesté mi reparo a tan prosaica costumbre, e Ileana me dijo: «Oye, es que muchos invitados mandan regalos espantosos, que los novios terminan reciclando en otra boda».

Después supe por otras fuentes que las bodas se han convertido en poderosa industria. Primero vienen las lluvias de regalos, que antes se limitaban a ollas, servilletas y pendejadas domésticas, y hoy abarcan desde *shower joyas* donde caen relojes Cartier y otras menudencias hasta *shower dollars*, a las que concurren billetes verdes de diversas denominaciones.

Ya es tradición aceptada la de las listas de bodas, que proporcionan a los invitados un inventario de elementos escogidos por los contrayentes en finísimos almacenes para que uno les compre. Nunca verán una lista de bodas inscrita en sanandresito aunque, ahora que lo digo, me doy cuenta de que acabo de regalar una idea brillante. Todas son tiendas caras de nombre afrancesado o agringado.

También prospera, por sugerencia de los novios, la vaca para regalar colectivamente un televisor gigantesco, un cuadro o la luna de miel en Hawai.

Estas son las nuevas modas matrimoniales, válidas para primeras, segundas o terceras nupcias. Y aunque están bendecidas por la sociedad, notifico que desde hoy encabezaré un movimiento para reformar semejantes usos impuestos.

Les demostraré que yo también soy capaz de inventar costumbres. Por ejemplo:

- Toda pareja que se divorcie antes del primer año de casada deberá devolver la totalidad de los regalos a los invitados, o su equivalente en dinero. Si la separación se produce antes del tercer año, reintegrará la mitad; si antes del quinto, la cuarta parte. Esto fomentará la estabilidad matrimonial y será aval para los concurrentes.

- Los invitados únicamente darán regalo en la primera boda de cada contrayente. No más ese abuso de invitarlo a uno a las tres bodas de un señor mujeriego y premiar su infidelidad con sendos obsequios.

- Los mayores de 40 años solo podrán aspirar a que les regalen libros, discos, unos aretes, una corbata de perritos, alguna botellita de vino, cosas así. Nada más ridículo que un catano que aspira a recibir tostadora o exprimidor eléctrico de naranjas. Si a los 40 no tiene tostadora, que se quede sin ella. Y si perdió el exprimidor en una anterior separación de bienes, que pida uno prestado.

Finalmente, contra la lista de regalos elaborada por los novios yo propongo la lista de regalos del invitado. La próxima vez que me inviten a una boda enviaré una cariñosa carta acompañada por una lista de objetos que los novios pueden escoger en el garaje de mi casa. Serán antiguos regalos que archivé por inútiles o feos cuando el que se casaba era yo. Habrá de todo: ceniceros de caracol tornasolado, floreros color lila, cerámicas del payaso triste, exprimidores mecánicos (¡!) de naranja, un tapete de entrada que dice *Home Sweet Home*, un reloj de plástico

imitación tronco de abeto y algunos estribos de bronce
(¿o eran de cobre?) que aún me quedan.

Que marquen el que les guste, que lo disfruten y que
sean muy felices…

Auténtica telefonía digital

Una universidad inglesa, tras rigurosa investigación en nueve ciudades del mundo, afirma que los jóvenes tienen hoy mucho más desarrollado el pulgar que sus antepasados. «Es un dedo más musculoso y ágil que el de sus padres o abuelos», concluye el estudio.

La razón, explica, es muy sencilla: los sardinos de urbes ricas viven prendidos al teléfono móvil, aparato que manejan con una sola mano. Esto los obliga a marcar, escribir mensajes y operar el celular con el dedo gordo.

Gracias a ello el pulgar de los jóvenes ya tiene bíceps, gemelos y hasta barriga. Supongo, además, que su agilidad hará que los pianistas exijan pronto conciertos para dos pulgares y otros ocho dedos.

Lo comprendo, porque mi generación se educó escribiendo a máquina con tres. Si uno examina a la gente de mi edad, obligada a ejercer fuerza física sobre las teclas de la máquina de escribir, verá que sus dedos ofrecen musculatura y agilidad semejantes a las del pulgar de nuestros hijos.

Me encanta que tan simpático dedo haya encontrado un nuevo oficio, porque estaba llamado a desaparecer. Echemos reversa y les explico.

Hace millones de años era un dedo como los demás; podría haberse llamado el vulgar, en vez del pulgar, pues remedaba en su inutilidad al actual dedo gordo del pie. Servía apenas para el equilibrio del primate.

La evolución deseaba, sin embargo, un dedo que dotara al puño de tercera dimensión para que pudiera coger cosas, defenderse con garrotes. Fue surgiendo así, al cabo de los milenios, el pulgar oponible. ¿Oponible a qué? Pues, por supuesto, a los demás dedos.

Merced al pulgar capaz de enfrentarse sin temor a sus hermanos, el antropopitecus consiguió asir la rama del árbol, agarrar un plátano y descender del árbol para pelar el plátano y comérselo. Ahí estaba la semilla del ser humano.

Mírese usted la mano, y verá con qué gracia encara el pulgar a los demás dedos; sobre todo al índice, que es su mejor amigo. Tal movimiento parece una tontería. Incluso se emplea para asuntos baladíes y hasta sucios, como podrá observarlo en los semáforos si repara en lo que hacen con esos dos dedos los conductores distraídos.

Empero, significa un avance formidable en la evolución, que permitió al homo sapiens aferrar herramientas, arados y armas para comer y matar, sus dos ocupaciones favoritas.

El problema es que, cuando aparecieron las máquinas modernas, hace un par de siglos, el pulgar quedó a tiro de jubilación, pues los ingenios mecánicos lo reemplazaron en muchas de sus labores.

Mas Natura, que es sabia, no quería que desapareciera el dedo boteriano por falta de trabajo. Así que inventó las pulgas. El mundo se volvió un pulguero, y qué mejor que este dedo ocioso para aplastar insectos sobre mesas, camas, pisos, platos de comida. Tanto éxito tuvo, que pasó a llamarse, ya lo ven, «pulgar».

Las pulgas se han diezmado gracias al dedote pulguicida —la verdad, al dedote y al dedeté—, por lo que nuestro protagonista dáctil afrontaba una nueva y peligrosa molicie capaz de llevarlo a la extinción. Ahora los teléfonos celulares vuelven a salvarlo. Ya no temo por él.

Me preocupan, en cambio, otros dedos. El índice se usaba para señalar, pero los colombianos preferimos indicar con un gesto del mentón o de la boca.

Por eso nuestros hijos tendrán cumbamba, labios y pulgares fuertes, pero índices flacos y pequeños. También me inquieta la suerte del meñique, que ya sólo sirve para que algunos aristócratas locales engasten sus anillos de familia.

La noticia alentadora es que el dedo del centro, el corazón, aparece entre nosotros cada vez más robusto y largo. Resulta lógico, pues es el que más se emplea bajo las mesas, con sus vecinos doblados, durante las campañas políticas.

Consejitos de belleza masculina

Varios caballeros me escriben con inquietudes de belleza masculina. Los comprendo. En la medida en que se produce la liberación del hombre, son más los varones que aspiran a mejorar su apariencia. Intentaré dar respuesta aquí a algunas de esas preocupaciones.

P. Tengo 18 años y sufro de barros y espinillas desde los 12. Aunque he intentado distintas fórmulas, tratamientos y remedios, ninguno me ha hecho efecto. ¿Qué me aconseja? ALBERTO BARROS, *Girardot.*

R. Querido Alberto: ¿ha ensayado el pasamontañas?

P. Desde que cumplí 40 años noto que aumentan de grosor los vellos de la nariz y las orejas. ¿Es esto normal? ¿Me recomienda cortarlos? LUIS CABELLO, *Bogotá.*

R. Querido Luis: es normal que, al llegar la madurez, las pilosidades de los orificios nasales y el lóbulo auditivo se fortalezcan y crezcan. La naturaleza, en su sabiduría, compensa así otros atributos que se debilitan y empequeñecen. ¿Cortarlos o no cortarlos? He ahí el dilema. Si se cortan, volverán a surgir con renovados bríos. Si no se cortan, el varón corre diversos peligros, incluso el de morir ahogado por los pelos que extienden su dominio nariz arriba, o perder el oído por cerdas asesinas que se incrus-

35

tan tímpano adentro. Lo más práctico es la depilación con tijera de jardinero, procedimiento radical pero arriesgado. Conviene, después de cortar los pelos con esta herramienta, recogerlos cuidadosamente y enterrarlos para que no ataquen de nuevo. Lo mismo ha de hacerse con los trozos de nariz y los retales de oreja.

P. *He descubierto una pequeña zona de despeje en el cuero cabelludo. ¿Serán simples entradas, o lo que llaman calvicie? ¿Qué me puede decir?* EMPANICADO, *Cúcuta.*

R. Querido Empanicado: le puedo decir que en materia de calvicie no hay entrada sin salida. Muy pronto esas «simples» entradas se extenderán hacia todos los puntos cardinales; el cuero cabelludo será cada vez más cuero y cada vez menos cabelludo; y antes de que se dé cuenta le gritarán en la calle «¡calvo hijuetantas!». Se lo digo yo.

P. *Hace unos años iba a las películas de Charles Bronson, que es de mi edad, y pensaba que era un tipo muy bien plantado. Pero he visto fotos suyas hace poco y está arrugadísimo. Me pregunto si todos los contemporáneos de Charles Bronson estamos tan acabados como él.* HILARIO DELGADO, *San Basilio.*

R. Querido Hilario: no se preocupe: Charles Bronson no está arrugado porque sea muy viejo, sino porque lo guardaron húmedo después de la película en que hace de náufrago.

P. *Tengo complejo de belfo y de pobre. De belfo, por mi sobresaliente quijada inferior; de pobre, porque no tengo un peso. ¿Me recomendaría una operación para curarme el exceso mandibular?* MELANCOLICO, *El Tambo.*

R. Querido Melancólico: su problema no es el exceso de mandíbula sino la falta de plata. Este último impide que pueda embarcarse en una costosa operación maxilar. Yo le recomiendo que empiece a usar cachucha: no rebaja la mandíbula, pero al menos ofrece un perfil simétrico.

P. Mi novia me abandonó hace pocos días aduciendo que sufro de lagañas. ¿No cree que esto es una injusticia? ¿Qué me aconsejaría para remediar este problemita ocular? Adjunto foto. PIPE CANDELA, *Barranquilla.*

R. Querido Pipe: ¿A semejante cosa tan fea llama usted «problemita ocular»? Le juro que si yo hubiera sido su novia, también lo habría abandonado. Es que el solo término que usted emplea lagañas es atroz; pero, aun siéndolo, constituye elegante y discreto reflejo de una realidad horrible. Mi consejo: consulte un oftalmólogo y cómprese unas gafas negras de las de espejo. O, mejor, primero compre las gafas. ¡Pero ya!

P. ¿Considera que a un hombre mayor de 50 años le queda bien usar pirsin, esa moda que consiste en ponerse zarcillos o argollitas en distintas partes del cuerpo? ILUSIONADO, *Anorí.*

R. Querido Ilusionado: después de los 50 años un hombre sólo debe ponerse argollitas, herrajes o incluso bisagras para evitar que se le caigan pedazos del cuerpo.

P. ¿Qué es lo único que no puede hacer el hombre elegante? IMPECABLE, *Chapinero.*

R. Querido Impecable: el hombre elegante, y también el no elegante, y de hecho cualquier hombre, el más cruel de los estranguladores, o el más burdo o salvaje, incluso Tarzán y el Jorobado de Nuestra Señora, lo único que no pueden hacer es llevar medias tan cortas que exhiban un pedazo de pellejo de la pierna. Todo lo demás está permitido.

P. Muy bien: pero soy una persona de muy elevada estatura; entonces, ¿cómo puedo evitar que se asome el pedazo de pellejo por encima de la media? IMPECABLE OTRA VEZ, *Chapinero.*

R. Querido Impecable Otra vez: si es necesario, empiece a usar medias pantalón. Pero, por favor, el pedazo de pantorrilla pelada, ¡jamás!

¡Arre, mula!

No me cuesta trabajo aceptarlo: yo albergaba serias dudas sobre la clonación, pero eran dudas nacidas de reflexiones prácticas, no científicas ni religiosas. Mi reflexión resultaba muy sencilla: clonar, ¿para qué? Habían clonado ovejas, cuando ovejas abundan; habían clonado ratones, cuando lo urgente es clonar gatos que acaben con los ratones; habían clonado gallinas, cuando lo que falta en este mundo son huevos; y se proponían clonar humanos, cuando el sistema tradicional es tan sabroso.

La última noticia, en cambio, me deja convencido de la importancia que tiene y tendrá la reproducción celular en laboratorio. En Idaho, Estados Unidos, un equipo científico logró clonar un mulo, y ya saben ustedes que la mula y el mulo son animales estériles. Hijos de burro y yegua (ignoro si también pueden serlo de caballo y burra), estos solípedos (lo siento, así se llaman, no es una alusión a uno de sus protuberantes defectos cuando sube la temperatura o sube la cuesta) son incapaces de procrear. Lo que los profesores de la Universidad de Idaho han conseguido es ni más ni menos que la reproducción de un mamífero horro.

Algunos de mis lectores —los más cultos, por supuesto— saben que la Mula Herrada es uno de los fantasmas patrimoniales de la vieja Santa Fe de Bogotá. También recordarán aquel chispazo de la Gruta Simbólica que explicaba el fenómeno a propósito de un tranvía de mulas que alguna vez funcionó en la capital; porque hasta para eso sirvieron estos nobles híbridos, para anticiparse a Transmilenio.

> «¡Que paren las mulas!», gritaba Ana Rosa:
> «¡Que paren las mulas en el cambiavía!».
> Y dice un borracho con voz mistelosa:
> «Las mulas no paren, no sea mentirosa;
> no paren las mulas, ¡que siga el tranvía!».

Los burros andan molestos con la revolucionaria técnica, pero ella permitirá salvar de la extinción a una especie que fue fundamental para el hombre antes de que clonaran el campero y el camión. Sin la mula resulta imposible imaginar la historia de Colombia. Y sea el momento de cortar de raíz todo chistecito flojo sobre las modernas mulas, que no transportan pianos en el lomo, como las de antes, sino droga en lugares que a veces producen dolor de solo saberlo.

En cuanto a las otras, a las que figuran en bambucos y en grabados antiguos de viajeros impresionables, me angustiaba que estaban desapareciendo. Como escasean los burros pues también escasean las mulas. No hace mucho Juan Valdez participó en una película titulada *Todopoderoso*, y aunque el guión exigía que actuara con su mula, ni siquiera la poderosa Hollywood logró conseguir un

ejemplar mulino o mulesco que saliera al lado de nuestro promotor cafetero. Les tocó alquilar un burro, disimularle un poco las orejas y ponerle delantal largo… por si acaso.

Hay quien piensa que el país ya no necesita de ellas, que Colombia saltó hace años de la mula al jet y, por tanto, poco importa que se acaben. Nada de eso: con lo ruinoso que se ha vuelto el transporte aéreo, un día terminaremos abandonando los aviones en los parques infantiles, y otra vez se pondrán de moda las recuas: Alianza Mula, Transequino, Burranca…

Dicen que la clonación mengua algunas características del animal artificialmente conseguido. Que la oveja clonada no da tanta lana ni bala (Mientras menos bala dé, mejor me parece, sobre todo si son ovejas colombianas). Que a los ratones clonados les gusta menos el queso (No importa, les tenderemos trampas con yogur). Que las gallinas clonadas ponen los huevos duros (También los pone así el agua fría, de manera que sabremos arreglárnoslas).

En cuanto a la mula clonada, aseguran que será menos fuerte y menos testaruda que la mula auténtica. Lo de la falta de fuerza se remedia con vitaminas. Y en cuanto a lo otro, no hay que afanarse: para tercos, el ministro Londoño…

Mi mujer quiere pegarme

Yo sé muy bien, señor inspector, que mi mujer me ha denunciado ante esta comisaría por posible violencia doméstica, y que todas las apariencias conspiran contra mí. Pero no soy un «profesional del maltrato de género», como ella asegura y como lo sugiere mi aspecto, sino un pobre hombre muerto de susto.

Óigame usted, señor inspector, y estoy seguro de que entenderá.

Transmitió el otro día la televisión la noticia de que una pareja se había pegado las manos con cola, y me entró a mí el pánico de que mi mujer fuera a hacer lo mismo.

¿No la vio usted? ¡Tremendo, señor inspector! El asunto es así: Uwe es un alemán que está preso en España y, como todo recluso de buena conducta, tiene derecho a su visita conyugal. Cuando Michaela, la novia, acudió a la cita, entró a la hora señalada al calabozo que habilitan para estos íntimos menesteres, pero al llegar la hora de retirada, no salió. Irrumpieron las autoridades y encontraron, señor inspector, que novio y novia estaban de mucha mano cogida, o, mejor, de mucha mano pegada: los muy vivos entrelazaron la mano izquierda de él con la derecha de ella y rociaron el amoroso gesto con un pegamento especial para unir carrocerías. Y si un producto sirve para juntar cigüeñales o ejes de levas, créame, señor inspector, mucho más sirve para aglomerar manos.

No pudieron despegarlos el guardián, el enfermero, el alcaide, ni los tres al tiempo, y tuvieron que llevarlos al hospital más cercano. Cuando pasaron la noticia, Uwe y Michaela permanecían inextricablemente unidos en una cómoda habitación del centro clínico, mientras los médicos estudiaban cómo separarlos. Agüita tibia no bastaba. Un disolvente poderoso podría quemarlos hasta los huesos. Se hablaba incluso de una intervención quirúrgica…

—¡Qué cosa tan horrible! —dije yo.

—¡Qué gesto tan lindo! —suspiró mi mujer—. Esos sí son amores.

—Amores, no —corregí—. Es un vil truco para volarse de la cárcel.

—Todo lo contrario: lo que quieren es que a ella la enguandoquen también. Pero con él pegadito. Cosa más hermosa…

—Sí, muy hermoso: en este momento, los dos pasan la noche felices en una clínica por cuenta de los contribuyentes.

Mi mujer no cedía.

—Esta —dijo— es la clase de cosas que le devuelven a uno la fe en la vida y en el amor.

Yo quedé escaldado con la noticia, pero mucho más con el entusiasmo de mi mujer, y desde entonces tuve la sensación de que ella iba a comprar cola para carrocerías y en un momento de descuido iba a pegarse a mí como Uwe y Michaela: ¡hasta que la muerte o la medicina nos separaran!

Dios me perdone, señor inspector, pero yo pensé que lo único peor que tener pegadas las manos con cola sería tener pegadas las colas con mano.

Me volví desconfiado y receloso. ¿Quién no? Mi mujer trató de cogerme una vez la mano en cine, y yo la retiré alarmado. Ella se puso a llorar. Otra vez se untó por descuido mermelada de naranja en la mano, y yo me encerré en un armario hasta el domingo. Cierta noche, dormida, hizo el gesto inconsciente de abrazarme y di un grito horrorizado. Cualquiera lo comprende, señor inspector, si se imagina a sí mismo con mi mujer aferrada a él como siamesa día y noche, en la oficina, en el trabajo, en Transmilenio y hasta en el baño. Había sido solo una pesadilla, pero con un poco de pegamento podía volverse realidad.

Lo más siniestro fue cuando apareció con un extraño paquete. Lo abrí sin que me viera, y ¿qué descubro en él? Una lata enorme de colbón, que corrí a vaciar en el inodoro. Entra en ese momento mi mujer y, mientras en el excusado se forman unas gigantescas burbujas blancas que taponaron las cañerías del edificio, ella me explica que solo se proponía reparar el papel de colgadura de la sala.

Pero ya tenía el miedo en el cuerpo, señor inspector, y decidí protegerme. Lo demás, usted lo sabe: la denuncia por posible violencia doméstica, el agente de Policía en mi casa y mi presencia en esta comisaría.

Sé que las apariencias me condenan, señor inspector. Pero debajo de este chaleco antibalas y estos guantes de boxeo solo hay un ciudadano asustado que quiso tomar medidas de precaución. ¡Que se me pegue mi mujer si le miento!

Recuerdo con un solo ojo

Hoy, Día de las Brujas, se cumplen ocho años del entierro de uno de los personajes más originales y divertidos que ha producido Santander. Hablo de Luis Enrique Figueroa, el famoso Tuerto, nacido en 1922 en Piedecuesta y fallecido en Bucaramanga el 30 de octubre de 1995. Me dice su hijo que, a petición del difunto, hubo en el sepelio banda municipal, gente disfrazada de diablo y música folclórica. No quería despedirse con lágrimas sino con risas.

Era imposible no reír con las ocurrencias de este hombre esencialmente bueno e ingenioso. La primera, su propio aspecto: rechoncho, con un ojo que jugaba de centrodelantero y el otro de puntero izquierdo, y vestido como por sorteo. Dicen que cuando ocupó un efímero cargo diplomático en París acudía a la embajada en quimbas y ruana; puede no ser verdad, pero sí lo fue una cachucha execrable con que se tapaba las motas rebeldes del coco despoblado.

Figueroa fue un delicioso repentista. En cualquier circunstancia salía con respuestas o comentarios inesperados e ingeniosos. Muchos fueron recogidos en el libro *Figueroa, el seminarista de los ojos tristes*, por sus amigos Alfonso Gómez Gómez y Heriberto Sánchez Bayona. Pero todos circulan por el folclor santandereano y ya son una antología de la chispa.

Como cuando acudió a recibir, en su eterna función de jefe de relaciones públicas de la gobernación, al arzobispo Aníbal Muñoz, que también tenía un ojo desobediente, y lo saludó llamándolo «tocayo». O aquella ocasión en que el gobernador le encargó que montara una gran fiesta de recepción a un parlamentario célebre por sus problemas con la ley, y Figueroa solo preguntó al final: «¿En qué juzgado?».

Famoso por su parsimonia («La pobreza es llevadera con algo de platica», sentenciaba), caminaba una noche con un amigo cuando les salió al paso un atracador que exigió cuanto llevaban en la billetera.

—No tengo plata —dijo el amigo angustiado al pistolero—, pero no me dispare.

A lo cual comentó Figueroa extendiéndole al amigo varios billetes:

—No se preocupe, que yo le presto esto y mañana me paga.

El Tuerto fue historiador y columnista. Cada vez que llegaba un personaje a Bucaramanga, lo encargaban de mostrarle el escenario de Palonegro, la feroz batalla de la Guerra de los Mil Días. Antes de empezar su relato, Figueroa preguntaba: «Cómo quiere la versión, ¿ganando los godos o los liberales?». Él mismo era liberal y fue amigo de todos los jefes del partido. Cuando acudía a votar lo hacía de rodillas alegando que «el sufragio es sagrado». Las fotos lo atestiguan.

Su desarreglo sartorial era célebre. Andaba con una mochila de fique terciada, a la que llamaba «mi neceser», y era tan gordo que, según sus palabras, el sastre no lo vestía sino que lo «carpaba», como a los camiones. Al salir de visitar a un amigo hospitalizado, se topó con una señora que exclamó escandalizada:

—¡Caballero, no puede ser que los médicos lo hayan dejado salir tan hinchado!

Para el matrimonio de una de sus hijas —todas ellas bellísimas—, lo vistieron con elegante traje completo, cosa de la que se arrepintió porque «al volver a casa me desconoció el perro, y casi me muerde».

Las muchachas eran bonitas por el lado de Carmenza Clausen, su esposa, cuya mano fue a pedir Luis Enrique tras unos años de noviazgo, solo para descubrir que su futuro suegro se oponía al matrimonio «porque usted es muy mujeriego». Y replicó el Tuerto: «Eso sí es verdad; de no serlo, le estaría pidiendo la mano de uno de sus hijos».

Aunque querido por la mayoría de la población, no le faltaban enemigos políticos. Uno de ellos le asestó una vez una puñalada y, llevado a la clínica de urgencia, se despertó al lado de una señora que acababa de dar a luz. «Cómo —preguntó aterrado—, ¿ese niño me lo sacaron a mí?». Para protegerse de vituperios contrató un chofer aun más bizco que él, y cada vez que alguien le gritaba en la calle «¡Tuerto h.p.!», Figueroa decía al conductor: «¡Vaya, defiéndase! ¿No ve que lo están insultando?».

Tuvo una hermosa hacienda, Versalles, a la que una carretera partió en dos. Alguien, para consolarlo, le dijo que ahora quedaba con dos fincas muy bellas separadas por una autopista magnífica. «¡Qué va! —contestó Figueroa—. Es como si me dan un machetazo en medio de las nalgas: quedo con dos culos, pero ninguno me sirve».

Ocho años hace que el Tuerto se reunió con la tierra a la que sacaba cosechas de piña, yuca y arracacha. Ahora es parte de ella, como quería. Yo desde esta columna rindo un modesto homenaje a su ingenio, su originalidad y su inteligencia. Dios o el Diablo deben de estar dichosos con él y sus apuntes.

Gusanos con cebolla y tomate

Ni Gabo, ni Shakira, ni Fernando Botero, ni Juan Pablo Montoya, ni Carlos Vives, ni el profesor Patarroyo: el colombiano del futuro deberá moldearse a partir de José Vicente Delgado. Profesión: ingeniero agrónomo. Oficio: alcalde de Caucasia (Antioquia). Obsesión: comer insectos.

Dedicado desde hace años a la entomofagia —que es la alimentación con bichos—, Delgado ha descubierto la riqueza nutritiva que encierran estos menospreciados animalitos. Hay un tesoro de proteínas, aminoácidos, potasio, fósforo, hierro, fibra y calorías en las antenas, patas, alas y suaves barrigas de los insectos colombianos. Nosotros pensábamos que solo la hormiga santandereana es comestible. Pues no. Comestible es casi todo lo que se esconde detrás de una nevera o duerme bajo una piedra. Solo hacen falta voluntad para llevárselo a la boca, receta para prepararlo y cuchillo para pelarlo.

Esto último es clave. Los pelos de los insectos, señora, transmiten sustancias tóxicas, así que antes de echar un bicho a la sartén es indispensable pelarlo. Algunos venimos ya pelados, señora, listos para ser comidos, pero la mayoría requiere meticulosa depilación. Una vez pele el churrusco, señora (y excúseme el mal sonido de la frase anterior), ya puede convertirlo en almuerzo.

Hay varias maneras de hacerlo. Para una receta rápida y sencilla, basta una manotada de insectos tostados con sal y pimienta; para platos más refinados acudiremos a artes culinarias mayores. Parece repugnante, lo sé, pero es mera cuestión de costumbre. Los mexicanos, por ejemplo, se dan banquetes de saltamontes fritos, y los hindúes no prueban la carne de vaca, mas sueñan con el sancocho de escarabajo.

Delgado inventó recetas que le hacen a uno la boca agua. Para empezar, un delicioso picadillo de gusano de palma. Luego, sopa de cucarrones; cernida, eso sí, para evitar el incómodo efecto de las patas. Como plato principal, una buena tortilla de chizas o una empanada de termitas. Y, cerrando el menú, helado de vainilla con comején, el preferido de sus hijos.

No sé si alguien practica la entomofagia con insectos aficionados a la antropofagia, pero conviene considerar esta posibilidad: tomarse un salpicón de garrapatas es un canto a sí mismo, y la novia generosa puede ofrecer al novio unos frijoles con pulgas de la adorada. Descarto de plano, en cambio, el redundante plato de huevos con ladillas, porque sospecho que engorda.

La parte nutricional es interesante. Pero más importa su aspecto social y económico. A medida que se deteriora la situación de Colombia y de América Latina, ingerir bichos se vuelve una alternativa seductora. Gusanos y similares podrían proporcionar las calorías que proporcionan unas frutas cada vez más caras, las proteínas de esa carne reservada a los ricos, la fibra encerrada en unos cereales que ya no producimos.

La entomofagia es económica, y ecológica. Para alimentar a su familia, el colono no tendrá que derribar la selva: un hato de cucarachas crece en cualquier caja. Además, masticar una polilla podrá ser desagradable, pero sin suda es biodegradable. La famosa sopa de alacranes con la que alimentan a mi suegra se volverá plato cotidiano en tierra caliente. Y a lo mejor surge una artística gastronomía infantil a base de petaquitas de colores. Quizás las rojas saben a mora y las amarillas a limón, no lo descarte: la Naturaleza es sabia.

Estoy seguro de que comer insectos es mucho mejor que comer de lo otro, lo que ya come buena parte de la población. La entomofagia solucionará el problema del hambre tercermundista, aunque sea por un tiempo. Y digo que por un tiempo, porque cuando los insectos tengan valor, los ricos nacerán piojosos.

Lo que el tufo se llevó

Alguna vez Vivian Leigh confesó que filmar *Lo que el viento se llevó* había sido toda una hazaña porque Clark Gable, ese churro, ese gran señor, ese Hombre Deseado por Todas, sufría de un mal aliento incurable. Cada escena de amor y besitos —como la que sirve para anunciar la película— resultaba una odisea: Vivian Leigh, espantada por las emanaciones de esos labios que hacían temblar a las mujeres que veían a Gable en la pantalla pero no padecían de cerca sus problemas digestivos, intentaba retener la respiración y pensaba en cosas gratas: el perfume de las rosas, el aire puro de la montaña… Sospecho que aun las emanaciones sulfurosas de un volcán le parecían más aspirables que las del célebre orejón.

Me acordé entonces de un amigo mío, guapo galán de nuestra farándula, que cobró una fortuna por una telenovela; digamos 10 millones por capítulo. Cuando el gerente de la programadora conoció sus pretensiones, lo mandó llamar.

—No me puedes hacer esto —le dijo—. El papel es sencillo y, además, podrás besar todos los días a Fulana (aquí el nombre de una estrella internacional del culebrón, bellísima mujer y delirio sexual de todos los varones de habla española).

—Justamente —le contestó el galán—: como el papel es sencillo, te estoy cobrando solo 10 mil por cada actuación, pero en cambio tendrás que pagarme 9 millones 990 mil por besar a Fulana.

Supe entonces, pues así me lo confió mi amigo, que Fulana era fumadora empedernida y aficionada a la cerveza y a las salsas fuertes, dado lo cual cada secuencia íntima con ella era un cruel martirio para los circunstantes: desde los camarógrafos y el guachimán de la puerta hasta, naturalmente, el galán que la tenía a tiro de ósculo.

Antes se decía: «Si no temes a Dios, témele a la sífilis». Yo añado: «Si no temes a la sífilis, témele al mal aliento». Aunque de él se ocupa poco la ciencia, que prefiere dejar el problema en manos de los laboratorios de belleza, no se me ocurre ninguna enfermedad social más desagradable. Contra las demás abundan los remedios; desde el talco para los pies y modernos desodorantes selladores, hasta admirables antiflatulentos de los que analiza, comenta, cataloga, describe, alaba y recomienda en su columna D'Artagnan.

Hace años un militante anticonsumista pretendió hacerme creer que la halitosis fue una enfermedad inventada a principios del siglo XX por una empresa farmacéutica que diseñó el término y enseguida el producto que lo suprimía. Estoy seguro de que ambas cosas son mentira. Primero, la enfermedad nace con el género humano. Incluso antes, pues para crear la humanidad Dios amasó un bojote de barro y le soltó su divina tufarada. Sin ir muy lejos, nuestro glorioso y decimonónico himno nacional menciona el «varonil aliento» de los soldados patrios. Era así como, en tiempos más románticos, se denominaba a lo que llamaríamos «tufo de tigre».

Pero es que, además, no solucionó el viejo mal. La halitosis sigue ahí, y para remediarla es preciso, entre otras medidas, dejar de fumar, acudir al odontólogo, consultar al médico, cepillarse los dientes, enjuagarse la boca varias veces al día —Clark Gable, unas doce, y Fulana, por lo menos 56—, masticar dulces de menta permanentemente y comer ajo tan solo cuando lo abandonen a uno en predios de Robinson Crusoe y este haya salido a paladear un asadito de aborigen en alguna isla vecina.

Uno tiene que tener en la vida varios amigos de confianza. Son los que deben advertirte cuándo huir de un negocio «genial» que te proponen; cuándo alejarte de una mujer que quiere enredarte; cuándo estás haciendo el oso en una fiesta; cuándo llevas la cremallera abierta; cuándo debes repasarte la nariz con el pañuelo porque cuelga de ella un elemento vergonzoso y cuándo es hora de irte de un trabajo. Esos son los amigos leales.

Pero hay otro que debe decirte con claridad y prontitud que estás siendo víctima de un ataque de aliento cadavérico. Ese amigo es más que un hermano. No esperes de él cercanía física, sino sinceridad a distancia.

matador

Burro con estribos

¡Pobre el príncipe Felipe, pobre su esposa Letizia! Ya se casaron, ya pasaron las fiestas, los valses, la champaña, los brindis, las flores, la televisión, los banquetes, los ponqués y el regocijo, y ahora les toca enfrentar la desoladora realidad de los regalos.

Realidad desoladora, digo, porque hay que ver los encartes que les obsequiaron. Pongan atención, señoras y señores: gobelinos, muebles, alfombras, licores, artesanías variadas, joyas, decenas de cajas de vino, centenares de objetos de plata (no todos bonitos), ediciones especiales de libros, vajillas, cuadros, esculturas, manteles, candelabros, cubertería…

Una cosa no tendrán: un estribo de bronce absolutamente indicado para poner al pie de la chimenea, adornar la biblioteca, usar como pisapapel o sembrarle un geranio tal como lo hacen los paisas con las bacinillas viejas. Y no lo tendrán, porque cometieron el error de no invitarme a la boda. Hace muchos años, cuando mis hermanos y yo estábamos volantones y empezábamos a ser invitados a matrimonios, mi mamá compró a precio de quema en un almacén de antigüedades un lote de setenta y dos viejos estribos de cobre.

Desde entonces, era ese el regalo que daba cualquiera de nosotros en ocasiones nupciales. Tantos entregó mi hermana, que ya la llamaban «la del estribo», como si fuera la última copa de tequila o una canción ranchera. Todavía quedan once de estos bichos —cada vez más antiguos y, por tanto, cada vez más valiosos—, de modo que ya saben a qué atenerse los que nos invitan a su boda.

Hoy los recién casados principescos enfrentan 1.700 regalos de los que apenas unos cien son de gusto o encajan en su casa. Los restantes 1.600 sobran. Es habitual en estos casos reciclar el ripio cuando lo invitan a uno a otras bodas, compromisos o cumpleaños. Por ejemplo: les regalaron quince juegos de té o café, o sea que les quedan catorce para rebotar. Pero sucede que el reciclaje es imperdonable en el duro mundo de los príncipes, y mucho más si los presentes fueron exhibidos en público.

Por otra parte, ¿a quién pueden regalarle la horrorosa vajilla tailandesa que recibieron? No será al príncipe Carlos cuando se case con Camila, porque él también recibirá de otro invitado la misma vajilla tailandesa. Tampoco a Carolina de Mónaco cuando abandone al borrachín de su marido y se largue con el guardaespaldas de turno, porque fue ella la que dio la vajilla tailandesa a los novios españoles.

Hay otro lío. ¿Dónde meter los regalos? Muebles, cuadros y alfombras sobrantes van a un depósito. Pero no se puede hacer lo mismo con Ruiseñor y Calandria, los dos burros que mandó la Asociación para la Defensa del Borrico. En este momento, los jumentos están acabando con lo que no arrasó el pueblo soberano en los jardines de la ciudad. Inútil hacerse el bobo y mandar uno de los asnos, con tarjeta de la nueva pareja, como regalo a un próximo himeneo. Cualquiera se dará cuenta de que allí hay burro encerrado.

Sé que muchos gobiernos se esmeraron en enviar a Felipe y Letizia productos de la tierra. Cuba envió sus mejores cajas de puros; Francia, botellas de champaña superlativa, y Rusia, un precioso icono. A mí me dio el pálpito de que el presidente Álvaro Uribe iba a llegar carriel en mano, presente que le encanta regalar a otros jefes de Estado. Un carriel antioqueño podrá ser muy folclórico y muy charro, como dicen allá, pero, al lado de las perlas, sedas y oros de otros países resulta francamente ridículo.

De modo que la víspera de la boda me acerqué con temor y disimulo al Palacio Real, dispuesto a salir de dudas acerca del obsequio de nuestro gobierno. No vi cerámica precolombina, adornos tayronas, óleo de Obregón ni escultura de Negret, y me entró el pánico: pensé que en cualquier momento se me iba a aparecer el carriel.

Pero no fue así. Allí, en el pomposo salón de los regalos, adornado con una tarjeta tricolor que ostentaba el limpio nombre de Colombia, divisé con alivio un viejo estribo de bronce. ¡Habían reciclado el que les regalé a Uribe y Lina el día de su matrimonio!

Swingers

La otra noche llegué a casa con una revista en la mano.

—Vea —le dije a mi mujer—. Así de podrida está la juventud.

En la portada había una señora medio empelota.

—¿De qué se trata? —preguntó mi mujer, sin dejar de perseguir motas con el trapo del polvo—. Estoy sin gafas.

—Es un artículo sobre *swingers*. Espantoso.

—Gran máquina de coser. Mi mamá hacía maravillas con ella.

—No es Singer, es *swinger* —aclaré—. Son esos novios o casados que acuden a ciertos bares para cambiar parejas. La degeneración absoluta.

Mi mujer puso cara de escepticismo y no de horror.

—¿Sabe qué, mijo? No me parece tan mal.

—¿No le parece mal que uno lleve a la mujer y la cambie tranquilamente?

—Si también la mujer puede llevar al marido y hacer lo mismo, me parece bien.

—Bueno, pues esto me deja súpito.

Mi mujer había suspendido la labor de limpieza y estaba en plan reflexivo.

—Siempre soñé con una aspiradora, a ver si dejo esta quitadera del polvo que me tiene asmática. De modo que si me lo cambian a sumercé por una aspiradora, el negocio es bueno.

Debió de ver mi cara desencajada, porque agregó:

—No digo para siempre, claro. Pero por unos meses, sería un descanso.

Respiré hondo, se me entraron varias motas a los pulmones y dije:

—No ha entendido. Los *swingers* no cambian maridos por aspiradoras ni mujeres por equipos de sonido. Sino maridos por maridos y mujeres por mujeres.

Ahora me miró con compasión.

—Ay, mijito, dudo que me den mucho por usted. Si acaso, otro marido entrado en años. Por edad, deberían corresponderme dos maridos de veintinueve en vez de uno de cincuenta y ocho. Pero no creo que nadie acepte semejante cambio.

Abrí entonces la revista y le mostré cómo era lo de los *swingers*. Una pareja llega a un lugar acondicionado para el intercambio sexual. Ve otra pareja dispuesta al enroque. Se presentan. Charlan. Se gustan. Y si todo va bien, se van juntos a lo suyo: el uno con la del otro, y el otro con la del uno.

—A ver si le entiendo bien, mijo: ¿usted lo hace con esta señorita, mientras yo lo hago con el marido de ella?

—Exacto.

—Me gustaba más cuando era una máquina de coser. De todos modos, no creo que sea posible. Esta señorita tan chusca no aceptará hacer algo con sumercé.

Me había herido, y reaccioné con destemplanza.

—¿Y usted cree que, en cambio, el marido de la señorita estará dichoso de hacerlo con usted, verdad?

Pero mi mujer estaba por encima de semejantes agravios.

—Claro que no. Yo le llevo al muchacho veinte años y veinte kilos. Pero usted le lleva a ella cuarenta años y cuarenta kilos. Hay más posibilidades, por peso y por cédula, de que él lo haga conmigo que usted con ella.

Yo estaba picado, y cuando estoy picado soy capaz de comerme el mundo.

—¿Conque ella no lo haría conmigo, verdad? Pues le propongo una cosa. Mañana nos vamos a un club de *swingers* y ensayamos. Le apuesto a que me dicen que sí a mí antes que a usted.

Mi mujer aceptó el desafío con tono resignado, como si fuera a permutar marido por aspiradora.

—Usted lo propuso, le advierto —dijo en tono amenazante.

A la noche siguiente ambos seguíamos intransigentes y, antes de darnos cuenta, estábamos ante un local de *swingers*. No hay como la fe en uno mismo para rodar por el abismo de la ridiculez. Una vez allí, vimos que entraban varias parejas jóvenes, y tuvimos un instante de inteligencia.

—¿Sabe qué, mijo? —dijo mi mujer—. ¿Qué tal que una de esas muchachas se enamore de usted por andar jugando pendejadas? Mejor vámonos.

—¿Y qué tal que esos señores acaben peleándose a cuchillo por usted? —contesté con alivio—. Tiene razón: mejor vámonos.

Y, cogidos del brazo y rebosantes de dignidad, nos alejamos para siempre de la escasa posibilidad de ser *swingers*.

Yo y Catón

Mi patriótica labor de columnista atrae a veces mensajes adornados por palabras injuriosas que me dejan impávido porque tengo el pellejo curtido por la edad y la virtud. Pero hay un sujeto que desde hace semanas me manda puntuales vaciadas cuyo remate es siempre el mismo: «cochino Catón criollo».

Más que mi indignación, semejante insulto lo que logró fue despertar mi curiosidad, toda vez que no entendía bien dónde radicaba el vejamen. Lo de criollo lo considero un honor, pues me emparienta con la papa que preside el ajiaco. Por otra parte, sé que muchos se molestan si los comparan con un marrano. Yo, la verdad, no. El chancho es uno de los seres más simpáticos e inteligentes de la creación, capaz de pesquisar con su olfato valiosas trufas, explosivos, droga oculta y escapes de gas. Toda su carne alimenta, y sus arterias, trasplantadas, salvan vidas humanas. En cuanto a su propensión por la suciedad, diré que nadie es perfecto. Pero se trata más bien de una condición ambiental, pues hay cerdos que cuando se les invita a vivir en casa, como a un perro o un gato, son más limpios que el dueño y más finos que Pedro Gómez Barrero.

«Cochino Catón criollo». De las tres palabras, como ven, dos no me parecían en absoluto ultrajantes. Faltaba una, Catón, y a esa sí que le tenía algo de temor. Primero, porque ignoraba a qué se refería el iracundo lector, y, segundo, porque desconfío de todo vocablo terminado en «on» cuando se empuña como insulto. Piensen ustedes en ciertos derivados léxicos del huevo, la bolsa y el cabro, y sabrán a qué me refiero.

Una consulta a *Vidas paralelas*, magna obra del historiador griego Plutarco, me sacó de dudas. Ahora entiendo que el lector pretendía elogiarme, porque este Catón fue un tipo cheverísimo. Y acepto, con inmodestia, que él y yo tenemos más de un parecido.

Nacido en el año 234 a.C. en Túsculo (suplico al corrector mantener la tilde y por ningún motivo deslizar un plural inconveniente), Catón era, según Plutarco, «rubio y de ojos claros».

Desdeñaba las pompas de la elegancia y su atuendo se caracterizaba por sencillo y modesto. «Bebió siempre del mismo vino de los trabajadores» y amaba y cuidaba a los perros, «no solo de cachorritos, sino aun cuando se han hecho viejos» (Ay, Simona…). Además, «reputaba a la mesa como muy propia para ganar amigos».

Hasta este punto mi paralelo con Catón ofrecía sorprendentes semejanzas. Más me asombré cuando seguí leyendo en Plutarco las cualidades morales del personaje. Los ricos, en principio, le parecían sospechosos, y «para él, más apreciable que tener oro resultaba vencer a los que lo tenían».

Recomendaba no contar secretos a las mujeres; nunca hacer por mar un viaje que pueda hacerse por tierra;

y no dejar pasar un solo día ocioso. Fue azote de funcionarios corruptos y «no permitió jamás que de los fondos públicos se hiciera dispendio alguno».

Fue (ojo, doctor Álvaro) enemigo jurado de reelecciones e increpó a los ciudadanos que votaban reiteradamente por los mismos candidatos. Criticó al imperio de la época (Roma) y dijo de uno de sus embajadores que no tenía «ni pies, ni cabeza, ni corazón».

Lo mejor es que hacía todo esto con buen humor e inteligencia pues «su lenguaje era gracioso y vehemente, dulce y penetrante, sentencioso y polémico». Esto ya me dejó sin aliento: era como si Plutarco o el lector que me insulta hubieran sido asiduos de mi casa, o algún amigo mío les hubiera pasado datos. A mis espaldas, naturalmente.

Para colmo de parecidos, Catón vivió un tiempo en España y «escribió libros de diferentes materias y de historia». Si no hubiera sido porque comía de modo frugal, «usaba a menudo de las mujeres» y era un poco creído (yo, en cambio, pese a ser el mejor novelista nuevo de Colombia, profeso una franciscana humildad), este pecho habría sido la fotocopia de Catón.

Ahora sé que cuando pretenden insultarme llamándome «cochino Catón criollo» no hacen más que lanzarme un piropo triple. Está bien: lo acepto.

Manual para profesores cuchillas

Cuantas veces me tentó el magisterio deseché la idea de colocarme de profesor. Hay dos clases de educadores: los buenas personas, a los cuales los alumnos se la velan, y los cuchillas, unos ogros miserables que se hacen respetar a costa de que los odien a ellos y a sus señoras madres.

Con solo mirarme al espejo yo sabía que mi mundo era el de los buenas personas, y por tanto iba a sufrir horrores dictando clase. Hace poco —tarde ya— encontré un libro que habría podido cambiarme la vida.

Se trata de *Voy a pasar lista por orden cronológico*, de Miguel Villarejo y Javier Serrano, que recoge frases absolutamente genuinas pronunciadas por grandes cuchillas del bachillerato: frases capaces de convertir a un maestro suave en Bin Laden.

Para los profesores buenas personas que quieran transformarse en émulos de Rasputín, copio —levemente adaptados— algunos de los comentarios despectivos, crueles, provocadores que permiten construir un imperio del pánico y la humillación en clase.

«¡Cállense, que no necesito efectos especiales!».

«Y pensar, Pérez, que hasta ahora lo había considerado de la especie humana».

«Ustedes no hacen la digestión: hacen la fotosíntesis».

«¡Submongólicos profundos, voy a organizar un tour a Fátima a ver si la Virgen los arregla un poco!».

«Si pierden el examen, no se preocupen: lo bonito es participar».

«El comportamiento de esta clase no es infantil: es fetal».

«Como siga así, Fernández, el examen del ICFES lo va a presentar con canas».

«Les advierto que los sistemas de tres, cuatro y cinco ecuaciones se pueden convertir en una tragedia griega».

«A ver, señores, vamos a hablar de Enrique VIII. Escriban: una ve chiquita y tres palitos».

«Empiecen a contestar las preguntas, y ¡marica el último!».

«Para mañana quiero los ejercicios 1, 2, 3, 4, 5 y 6. En dos palabras: to-dos».

«El examen que presentaron ayer estaba tan malo, señoritas, que la mejor nota fue fa».

«En la previa de mañana, que Dios reparta suerte, porque como reparta justicia aquí se van a rajar más de cuatro».

«A ver, ¿cuál es la relación entre el comunismo platónico y el hegeliano? (Tras esperar un minuto sin obtener respuesta del alumno). Va bien, va bien: hasta ahora no ha cometido ningún error».

«¿Les gustan los *donuts*? Muy bien: pues le voy a poner uno a cada uno en las notas de este mes».

«Si el tablero pudiera, lloraría por las barbaridades que usted acaba de escribir».

«Voy a rajarlos a todos y a bailar luego un zapateado sobre los ceros».

«¿Que quiere resolverlo a su manera? Usted verá, Álvarez. ¿Tiene seguro de vida?».

«En el examen me da igual cómo pongan las tildes y las comas, con tal de que las pongan bien».

«Voy a pedirle un favor, Martínez: si llega a la universidad, nunca diga que salió de este colegio».

«Para concentrarse bien hay que poner cara de idiota. (Pausa) Muy bien, Zapata: lo logró».

«Los burros estaban en peligro de extinción, pero ustedes están ayudando a perpetuar la especie».

«A ver, López, cuando uno arruga la frente, o es que está en el baño o es que no entendió nada».

«¿Qué creen, que llueve por casualidad? No. Llueve porque hoy tengo que explicarles a Descartes».

«Hasta ahora ha sido una introducción. Mañana empieza el porno duro».

«Esta fórmula matemática no la voy a demostrar. Este es un colegio de curas y esta fórmula es verdad de fe, así que mejor la creen».

«Pero, señorita, las tildes tienen derecho a la vida, como todos».

«Ya veo que ha sido imposible que entiendan el teorema de Pitágoras. A lo mejor logro enunciarlo con la música de "La vaca lechera"».

«El hombre es resultado de su madre y el bachillerato».

«Ustedes sí que tienen suerte. Acaban de tener el honor de asistir a un error mío».

«Lo veo inquieto, Ramírez. ¿Está enamorado?».

«Cuando yo tenía su edad, compraba dibujitos con esculturas griegas y por la tarde traducía *La Ilíada*».

«Voy a averiguar qué problemas jurídicos trae pegarle a un alumno con un pupitre en la cabeza».

«A estas alturas del curso, no deberían tirar la toalla. Más que nada porque luego tendrían que comprar otra».

«Recuerden que yo tengo la sartén por el mango y ustedes están en la parte caliente».

«Van a ver cuando entren a la universidad, con ocho horas de clase y cinco libros para leer cada semana. Acabarán con un embudo de sombrero y gritando "¡Soy Napoleón"!».

«¿Que si tengo apuntes impresos? No. Los grandes hombres nunca hemos escrito nada: Sócrates, Cristo y yo».

«Supongamos que yo soy Dios, ustedes son Sodoma y Gomorra y el rector es Abraham... Me encantan esos ejemplos en que yo soy Dios».

(A un alumno que golpea la mesa a modo de tamtam): «¿Qué le pasa, Gómez, está llamando al Fantasma?».

(Habla una profesora): «¿Entendieron, entonces, el subjuntivo? ¿Los hombres también?».

«¿Sí ven lo bien que me sale este experimento? ¡Y pensar que esos miserables no me han dado el Premio Nobel!».

«El día del examen me voy a poner al lado de algunos de ustedes y voy a repetir a media voz "bla, bla, bla, bla, bla", para que vean cómo se confunde uno».

(En clase de anatomía): «Cabrales, ¿quiere dejar ese cráneo en paz, que no le ha hecho nada?».

«A ver si lo entiende de este modo, Peláez: el átomo es Sting y ahí están sus fieles electrones orbitales que lo siguen a todos los conciertos».

«Donde sigan molestando, voy a injertarme de Herodes y ustedes de niños de pecho».

«De verdad, Salcedo, la única diferencia entre usted y una planta ya son solo las gafas».

«El problema de algunos alumnos de inglés es que no pasaron de los primeros capítulos de Plaza Sésamo».

«¿Se da cuenta, señorita, de que todo lo que usted sabe sobre literatura del siglo XIX cabe en una estampilla?».

«Y para el examen del lunes les aconsejo a los católicos que se encomienden a la Santísima Virgen y a los ateos, a la Constitución».

«A ver, López, ¿por qué no va y se da una sauna tailandesa y se tranquiliza un poco? Lo veo demasiado nervioso».

«¡Vamos, no se lo pierdan, un cinco aclamado y una lavadora al que me dé una respuesta!».

«Ontológicamente hablando, ¿quién es superior, un pupitre o yo? Pues, aunque ustedes están a favor del pupitre, el superior soy yo».

«¿Sabe qué, Mejía? Deje la tiza, sacúdase las manos y vuelva despacio a su puesto: este problema es demasiado para usted».

«Está bien, voy a explicarlo de otra manera: los diptongos y los hiatos son como el matrimonio: al principio se quieren mucho y son diptongos, pero luego se separan y cada uno se va por su lado, y entonces son hiatos. Mejor dicho: un hiato es un diptongo que se divorció».

«Hoy van a responderme un examen sorpresa sobre ángulos trigonométricos, pero el jueves palabra que les traigo plastilina para que hagan monitos».

¿Sentados o acurrucados?

Como ocurre a veces con estos asuntos, no llegué a tiempo. Sí: no llegué a tiempo con la noticia de que hace poco se celebró el Día Internacional del Excusado y unas semanas después tuvo lugar en Beijing la III Cumbre Mundial del Inodoro. Ustedes pensarán que les estoy tomando el pelo, pero hablo absolutamente en serio.

Gracias a uno de mis columnistas favoritos, Dave Barry, del *Miami Herald*, supe que existe una ciberdirección (www.worldtoilet.org) donde un puñado de servidores de la humanidad informa a sus congéneres acerca de actividades relacionadas con las letrinas: industria, difusión, historia, nuevos diseños y estado de las tensiones internacionales por culpa de este adminículo.

Allí, en esa interesante página internética, se reveló ante mis ojos algo que volvió a llenarme de optimismo y fe sobre nuestro futuro: mientras los demás terrícolas dormimos, mentes avanzadas trabajan en la modernización de los guáteres, la defensa de su limpieza y la profusión de su presencia en sitios que aún no entienden la importancia de un cuarto de baño higiénico y tibio.

Estos próceres son los miembros de la Asociación Internacional del Inodoro (en inglés, wto), organización filantrópica que se presenta así: «Todos lo hacemos cada día, y sin embargo no hablamos de ello. Mencionarlo es tabú y descortesía...» Con enorme arrojo, WTO rompe entonces el tabú y, mandando al diablo toda fórmula de cortesía, enfrenta el problema: cómo defecar mejor, con mayor comodidad e higiene. A eso se dedica. Tiene hasta ahora 17 entidades asociadas en quince países de Asia, Oceanía y Europa y su sede es Singapur.

No había acabado de maravillarme con la existencia de la Organización del Excusado que cubre el mundo entero —si no globalizamos esta actividad, una de las pocas realmente igualitarias y universales, ¿entonces qué globalizaremos?—, cuando me sumí en su fascinante sección de noticias.

Allí supe que el 19 de noviembre se rinde tributo al inodoro, y que en el 2002, cuando se proclamó a Beijing como sede de la cumbre mundial de sanitarios, la WTO despachó un boletín de prensa que empezaba así: «Las autoridades pequinesas ya tienen otra razón para mostrarse orgullosas, aparte de la Olimpiada del 2008, y es haber conquistado la sede de la Cumbre de Excusados del 2004». Juro que es verdad. Léanlo ustedes en la página virtual.

El recorrido por ella no tiene desperdicio. Al señalar que Belfast será feliz epicentro de la cumbre del 2005, anuncia que los organizadores «ya están planeando cuatro días memorables para los delegados». Si los retretólogos quieren días memorables, mi consejo es que escojan como sede una ciudad colombiana de tierra caliente y suministren a los asistentes un raspao de hielo local. Ahí sabrán los delegados lo que es encerrarse a reflexionar una semana entera sobre los problemas de su oficio.

En otro lugar aparecen los objetivos de la organización, todos ellos nobilísimos. El último, «intercambio de ideas y materias culturales». Mientras el intercambio se limite a las materias culturales, será beneficioso.

La sección de «hágalo usted mismo» (si no me cree, mírelo usted mismo) ofrece instrucciones para fabricar un retrete sin agua a partir de una caneca, un mantel y un poco de arena. Lo único que omite decir es que, tras el primer uso, conviene arrojarlo lo más lejos posible.

Pero lo más interesante de la información aparece en un artículo de Lim Tai Wei donde este «voluntario de la Organización» (¿voluntario para qué?, me pregunto: si es para eso, yo también me ofrezco varias veces por semana) analiza la silenciosa guerra, ya no de principios sino de finales, que libran dos grandes polos culturales del mundo.

«El sanitario asiático —escribe Lim— se utiliza en cuclillas, y es bueno para movimientos pasajeros (así dice, en glorioso eufemismo) mas no para orinar». Tal parece que, por tratarse de un mueble extremadamente bajito, la segunda función permea el entorno del objetivo principal «y el recinto se vuelve húmedo y sucio». Occidente, en cambio, patrocina la función pasajera sedentaria.

Es entonces cuando Lim Tai Wei pierde la objetividad del científico y se lanza a defender el infame hueco oriental de enfoque acurrucado, pues dizque «fortalece los músculos de los muslos y previene la incontinencia urinaria». A lo mejor es así. Pero desde mi lejana esquina, y con los derechos que me confiere mi condición de usuario veterano, proclamo el lema de millones de occidentales como yo: «Antes morir sentados, que aliviarnos en cuclillas». Sobre esto no hay vuelta atrás.

Ya veo que la próxima guerra mundial no se librará en torno a Irak, sino a un retrete.

El hogar de Freddy y Lalo

Vaya por delante, como dicen los españoles —y aunque en este caso la expresión no sea la más acertada—, que profeso el mayor respeto por los homosexuales, incluidas, como es obvio, las mujeres. Defiendo su sagrado derecho a escoger la opción sexual que les dé la gana y me parece totalmente justo que la ley les reconozca su derecho a vivir en matrimonio. No pueden seguir sometidos a la humillación de ser, en vida, víctimas del desdén de algunos familiares que, al morir ellos, heredan los bienes que deberían corresponderles a sus parejas. Confieso algo más: fomento el homosexualismo masculino, lo estimulo, lo aconsejo. Tengo la teoría de que, a medida que los varones escojan formar hogar con otros varones, se nos mejoran a los demás las posibilidades de conquista femenina.

Y, después de esta solemne declaración de principios, tengo que confesar que no alcanzo a imaginar cómo funciona un hogar gay. Y conste que no me refiero a eso, sino a todo lo demás, a la prosa cotidiana.

—Jimmy, gordo, ¿me cogiste tú la pipa?

—Sí, mi amor, aquí estoy fumándola en la cama. Acompáñame y vemos juntos el partido de fútbol, Pepe.

La pipa es uno de los pocos objetos que un fumador nunca tuvo que disputar con su mujer. O el tabaco.

—Ven acá, Guille, y oímos este bolero juntos.

—Espera un poco, Rafa, y de una vez nos fumamos un buen puro.

Supongo que las eternas y pequeñas peleas domésticas se repiten en cualquier circunstancia. ¿Quién saca el perro esta noche lluviosa? ¿A quién le toca llevar la basura hoy domingo, cuando los dos están empiyamados?

—Nada de eso, yo saqué ayer a Burbuja, loco. Hoy te toca a ti.

—¿A mí? Pero si hace una hora bajé la basura.

—Pues lo echamos a cara y sello, nené.

—Me niego: te lo juego en un pulso, Lalo.

—Está bien. Apóyate en esta mesa. Pero si se te desgarra el bíceps, como pasó el día de Navidad, no me vas a poner mala cara durante cuatro semanas...

El hogar gay tiene sus más y sus menos. Entre las cosas buenas está el hecho de que se equilibra la lucha por el eufónico *bizcocho* del inodoro. No más el abominable descuido varonil del bizcocho abajo. Las armas se han igualado. Ahora ambos saben lo desagradable que es la falta de precaución en esta líquida materia. En el matrimonio heterosexual machista el lema era «Si mojas, yo seco». En el gay es: «Si me mojas, te mojo». Mucho más justo.

En cambio, se modifica la pugna por la máquina de afeitar, que las señoras cogen del lugar donde uno la ha dejado, ordenada y limpia, y abandonan luego en la ducha. Ahora serán materia de irritación la rasuradora eléctrica y la loción para después de afeitarse.

—¡Freddy, te he dicho mil veces que vuelvas a poner la rasuradora en su sitio!

—Ay, no te ofusques, papi, que solo la cogí para quitarme estos pelos del bigote que tanto te molestan... Pero ahí te la dejo y nunca nunca nunca más la vuelvo a tocar, ¿oíste?

—Entiéndeme, chiquito: no me opongo a que la uses, solo pido que la regreses al lugar de donde la cogiste.

—¡Mmhhh...! ¡Tanto regaño por cuatro pelos que uno tiene! Y llévate de una vez tu loción. No volveré a usarla ni aunque me ruegues de rodillas.

—¡Caray con tu geniecito, Freddy!

Lo peor es cuando el más corpulento de los dos regresa un día del trabajo con una jaqueca espantosa.

—Esto no es normal, flaco, ¡se me está rajando la cabeza!

—Vuelo a traerte una aspirina, gordis, no te muevas.

—Deja así, porque me he tomado ya una docena. ¿No ves que el dolor me empezó desde esta mañana?

—Entonces te prepararé una agüita de yerbas. Ayer estuve en el centro comercial y traje unas yerbas buenísimas y me compré unos calzoncillos minislip divinos, pero no sé dónde los dejé.

—Espera: ¿unos rojos con rayitas azules?

—Sí...

—Pues pensé que eran para mí y los estrené esta mañana.

—Ay, cariño, pero si tú eres dos tallas más que yo. ¡Con razón el dolor de cabeza!

matador

Interjecciones

Cualquier día del mes pasado estoy en casa escribiendo en el computador uno de los 72 artículos que necesito entregar para comprarle llantas nuevas al carro, cuando ocurre un tropiezo con las mayúsculas. Entonces exclamo «¡caray!», como cualquier persona normal.

Y mi mujer, que no es normal y está por ahí cerca leyendo, levanta la vista.

—«Caray», ¿qué?

—Nada— le digo—. Era una bobada, pero ya está arreglada y debo entregar pronto este artículo.

—No, no —insiste mi mujer—. ¿Por qué «caray»? ¿Qué pasó?

—Bueno, pues que toqué sin querer la tecla de bloquear mayúsculas, pero ya se arregló.

—Un momento: tocó la tecla ¿y qué pasó?

—Lo que pasa cuando uno toca la tecla de bloquear mayúsculas: que enseguida empieza a escribir todo en mayúsculas. Pero ya la cancelé.

—¿Y fue que alcanzó a escribir mucho en mayúsculas? —pregunta mi mujer, llevada por esa curiosidad que la devora.

—No sé —respondo sulfurado—: cuatro o cinco palabras.

—¿Cuáles?

Y el interrogatorio continúa durante varios minutos, hasta que ella se declara satisfecha.

Esta era mi vida. Se me caía el jabón en la ducha, yo exclamaba «¡miércoles!» (como podía haber exclamado «cáspita», «recórcholis», «diantre», «demonios» o «pardiez») y ella volaba hasta el baño:

—¿Qué pasó? ¿Por qué «miércoles»?

Sólo me dejaba tranquilo cuando le había explicado lo del jabón, y ella había pedido detalles («¿Se le cayó cuando lo iba a coger, o cuando ya lo tenía cogido?»), y yo, desesperado, respondía la indagatoria para que ella supiera por qué «miércoles».

Fue inútil tratar de enseñarle que en el lenguaje del ser humano existen unas palabras llamadas interjecciones que «expresan alguna impresión súbita, como asombro, sorpresa, dolor, etc.» (Diccionario de la Real Academia de la Lengua). Son meras respuestas mecánicas de la lengua ante determinadas circunstancias, incluso las más intrascendentes: bloqueo inesperado de mayúsculas, jabón que cae en la ducha. Muy bien: mi mujer quería saberlo todo sobre las circunstancias de cada interjección.

Agobiado por sus preguntas, inventé algo que, según creí entonces, significaba mi entrada a la historia de la comunicación humana: las intrajecciones.

Las intrajecciones son interjecciones que, en vez de expresarse por medio de palabras, se expresan por medio de gestos. Me explico: la interjección se mantiene, pero lanzada hacia adentro del pecho, donde nadie la oiga. De allí lo de «intra»-jección. Pero como dicen que es malo ahogar los sentimientos, el afectado se alivia hacia fuera moviendo los ojos, sonriendo, resoplando; en fin, lo que le dé la gana.

Durante un tiempo funcionó. Cuando se me bloqueaban las mayúsculas, yo echaba el ajo hacia adentro y en cambio abría muchísimo los ojos. Un día mi mujer se dio cuenta y vino la preguntadera.

—¿Por qué abre los ojos?

—Porque necesito ver.

—No. Me refiero a que los abre desmesuradamente. ¿Por qué?

—Porque se me bloquearon las mayúsculas.

—¿Y fue que alcanzó a escribir mucho en mayúsculas?

Y así seguía. Después de mucho sufrir logré desarrollar otro invento que, ese sí, sería mi pasaporte a la gloria: la *nulajección*. Cada vez que me ocurría algo —alguien me pisaba, tropezaba con la mesa, se bloqueaban las mayúsculas— no solo me tragaba la interjección apropiada para la situación, sino que omitía cualquier gesto revelador, cualquier intrajección. Boca callada. Ojos normales. Cara de palo. Nada que permitiera a mi mujer adivinar la menor alteración interna y diera paso a sus preguntas idiotas.

Hace tres días, sin embargo, la nulajección también se vino a tierra. Mi mujer estaba detrás de mí ejerciendo la horrible manía de mirar por encima del hombro lo que otros escriben en la pantalla, cuando notó que se habían bloqueado las mayúsculas. Para su sorpresa, ni un «caray», ni un «miércoles», ni siquiera un gesto delator de parte mía.

Tardó algunos segundos, pero al final reaccionó.

—A mí no me engaña —me dijo—. ¿Por qué se quedó mudo como una pared?

—¿Cómo así mudo como una pared?

—Sí: cuando a uno se le bloquean las mayúsculas, grita, o exclama algo o por lo menos hace un gesto de desesperación. Es lo normal, ¿no?

—¿Y?

—Y usted no hizo nada eso. Usted se quedó como un muro: ni una palabra, ni un gesto, ni nada. ¿Sabe qué, mijo? Usted necesita un psiquiatra.

Entonces, yo ya no aguanté más:

—¡Carajo, mija!

Ella, dichosa:

—«Carajo», ¿qué? —dijo mientras tomaba asiento dispuesta a saberlo todo.

¡Patricia es una santa!

—¿Sabes? Podría jurar que mi mujer me está poniendo los cuernos.

Me sorprendió tanto el comentario de Alberto, mi mejor amigo, que si me hubieran tomado una foto habría salido con la cara como un tomate, los ojos saltados y las orejas verdes.

—No digas eso ni en chiste —repliqué tartamudeando—. Estoy seguro de que se trata de un error. ¡Patricia es una santa!

Lo que más me aterró no fue el chisme de Alberto. Ni siquiera el hecho de saber, en lo hondo de mi corazón, que era absolutamente cierto lo que temía. Sino las vergonzosas frases de mi comentario: «Ni en chiste»... «debe de tratarse de un error»... «es una santa»...

Son las típicas palabras que balbucea el infiel cuando lo pillan, las que uno ha oído muchas veces en películas de adulterios.

Y si las dije no fue por razón distinta a la de que Patricia, la mujer de Alberto, sí le estaba poniendo los cuernos. Y se los estaba poniendo conmigo. Hacía varias semanas habíamos emprendido una aventura erótica, que ahora corría el riesgo de descubrirse. Si tal cosa llegaba a suceder, no solo pondría en peligro la relación de Alberto y Patricia, sino que se iría al diablo nuestra amistad de muchos años y podría zozobrar mi feliz matrimonio con Isabel Eufemia: ¡una triple calamidad!

Todo esto le comenté a Patricia al día siguiente, en el discreto desnucadero de mi taller de escultor. Lo más urgente era desviar la atención sobre el posible amante; después veríamos cómo manejar el resto del lío. Ella barruntaba que Alberto alguna vez le había sido infiel, y pensaba que eso le otorgaba un mínimo derecho de desquite en caso de que la agarrara. Pero si Alberto llegaba a averiguar que era conmigo, no habría perdón posible: ¡su mejor amigo acostándose con su mujer!

El truco de abandonar una colilla de cigarrillo en un rincón de la casa de Alberto y Patricia funcionó muy bien. Era sabido que yo odiaba el cigarrillo y que Patricia no fumaba.

Por eso, cuando volví a ver a mi mejor amigo, este me comentó con preocupación:

—Me temo que lo de la infidelidad de Patricia es verdad. Ayer encontré una colilla de cigarrillo en una casa donde nadie fuma.

—¿Una colilla? ¡Qué porquería! —fingí indignado—. Me niego a creer que Patricia se acueste con un fumador. Debe de tratarse de un error, Alberto.

Pero Alberto seguía convencido de la infidelidad de su mujer por esos silencios, pequeños sustos y frases inconexas que a veces dicen los que están engañando al cónyuge.

—Sobre todo —me confió— descubrí que se va de casa muchas tardes, cuando yo estoy más ocupado en la oficina.

Claro: eran las horas en que Patricia venía a mi taller a aliviar nuestra mutua pasión. Se lo comenté a ella, y decidimos que solo nos veríamos una vez por mes y que Patricia se matricularía de inmediato en un curso de repostería durante esas horas que despertaban la zozobra de Alberto.

Al cabo de quince días Alberto cumplía años, y Patricia se presentó a su oficina con un ponqué saturado de batido blanco y pepitas doradas y le contó que desde hacía semanas tomaba en secreto clases vespertinas de pastelería para poderlo sorprender con el espumoso regalo. Liberado de la pesada duda, Alberto le preguntó, feliz, cómo había tenido tan sabrosa idea.

—Fue la tarde del murciélago —dijo ella.

—¿Murciélago?

—Sí; estando en casa, entró por le ventana un murciélago, voló por la sala y salió de nuevo. Me dio pánico y decidí ausentarme todas las tardes. Y lo peor es que el maldito, como buen murciélago, estaba fumando.

Alberto la abrazó aliviado y agradeció la torta con lágrimas en los ojos. Patricia sabía, y así me lo dijo en la que fue nuestra última cita, que en realidad Alberto lloraba de alegría porque creía haber hallado una explicación para la famosa colilla. Lo cual, en el candoroso razonamiento del marido engañado, descartaba por completo la infidelidad.

El sábado, cuando Alberto me refirió la historia —que yo ya conocía, pues había ayudado a tramarla— no cabía de la dicha. Yo tampoco, pero era porque veía extinguirse el peligro.

—De todos modos —le dije, por si acaso—, al fin y al cabo no es tan grave creer que la esposa te pone los cuer-

matador

nos. Lo sé, y esto es un secreto que nunca te he revelado, porque tengo la sospecha (era verdad) de que hace un par de años mi mujer tuvo una aventura con algún tipo.

En ese momento Alberto se puso como un tomate, los ojos se le saltaron, las orejas adquirieron un intenso color verde, y dijo, tartamudeando:

—No digas eso ni en chiste, hombre. Estoy seguro de que se trata de un error. ¡Isabel Eufemia es una santa!

Todo sobre la Navidad

Asoma el lucero navideño tras las cumbres señeras que presiden la capital, y enseguida asoman también multitud de cartas que abruman a esta sección con preguntas sobre la Nochebuena, el Niño Dios, las costumbres de la más amable época del año y hasta los consejos gastronómicos para la temporada.

Para satisfacer a mis copiosos lectores, dedico la columna de hoy a absolver dudas y cuestiones llegadas a mi buzón en las últimas semanas.

P. Antes del Niño Dios, ¿quién traía los regalos del Niño Dios?

R. Antes del Niño Dios no había regalos de Niño Dios. Por los regalos, y muchas otras cosas que un sacerdote sabrá explicar mejor que yo, es tan importante esta fecha.

P. Cuando el Niño Dios era niño, ¿el Niño Dios le traía regalos al Niño Dios?

R. No. El Niño Dios no es como ciertos funcionarios que se hacen regalos a sí mismos, ni es tampoco como mi mujer, que me pide 50 mil pesos para darme un regalo de 20 mil que, al final, será un implemento para la cocina, lugar al que no entro nunca.

P. ¿Por qué en muchos países los regalos que reciben los niños en Nochebuena no los lleva el Niño Dios sino los Reyes Magos o Papá Noel?

R. Porque son países dejados de la mano de Dios y de la mano del Niño Dios, que conceden más importancia a personajes ficticios que al mismísimo hijo de Dios.

P. ¿Y por qué en esos países los regalos que reciben los niños en Nochebuena son mejores que en los países donde los lleva el Niño Dios?

R. Bueno… pues… porque el Niño Dios es el mismísimo hijo de Dios, pero todavía está chiquito. Espérense a que crezca y verán los regalos que va a traerles…

P. ¿Qué son las pascuas?

R. Son las mujeres nacidas en la isla de Pascua.

P. ¿Por qué se dice «felices pascuas»?

R. Porque, al parecer, estas mujeres viven muy contentas.

P. ¿Qué otra cosa pueden ser las pascuas?

R. Me dicen que también son una fiesta religiosa que celebra el nacimiento del Niño Dios.

P. ¿Por qué hay Niño Dios y no hay Niña Diosa?

R. Hombre, por lo mismo que se habla de las pascuas y no de los pascuos. Nadie dice «felices pascuos», por ejemplo. ¿Está claro?

P. Sin embargo, me parece que la insistencia en que el Niño Dios sea varón encarna una actitud machista.

R. ¿Ah, sí? ¿Y dónde están las Reinas Magas? ¿Y Mamá Noelia? ¿Y Santa Nicolasa? La única santa que figura en el mosaico de personajes navideños es Santa Klaus, que también es macho. De modo que primero investigue, señora, y luego sí opine. ¡Faltaba más!

P. ¿Qué son exactamente los aguinaldos?

R. Los Aguinaldos eran una familia de Antioquia a la que le encantaba hacer apuestas navideñas. Aguinaldos Zuluaga, por más señas. Federico, Francisco Eladio, Nubia y William. De allí tomaron su nombre los juegos que se practican en la temporada decembrina.

P. ¿Cómo se llamaban la mula y el buey que calentaron al Niño Dios en el pesebre?

R. El buey se llamaba «Kjharim», que en arameo quiere decir «mula», y la mula se llamaba «Batshad», que quiere decir «buey». Esta coincidencia produjo notable confusión en los primeros tiempos del cristianismo, hasta el punto de que, con tal pretexto, el arrianismo negaba la divinidad del Niño Dios, que todo será pero era divino.

P. ¿Qué simboliza el árbol de Navidad?

R. El árbol de Navidad es un invento medieval de origen nórdico que simboliza la destrucción de los bosques en tiempos navideños.

P. Y el pesebre, ¿qué simboliza?

R. El pesebre fue un invento del dulce y humilde San Francisco, que quiso construir el primer parque temático navideño en un área de 185 fanegadas donadas por el municipio de Asís, pero de puro humilde le quedó del tamaño de una mesa. Simboliza un grave error de cálculo urbanístico.

P. ¿Qué simboliza el buñuelo navideño?

R. Simboliza la geometría del cuerpo de muchos cristianos cuando terminan las comilonas características de la temporada navideña.

P. ¿Es verdad que el Niño Dios son los papás?

R. Solo si se trata de los hijos del Niño Dios.

P. ¿Qué le debemos pedir al Niño Dios en estas Navida-des?

R. Al Niño Dios siempre hay que elevarle solicitu-des referentes a la paz del planeta. «Paz en la tierra a los hombres de buena voluntad»: ¿recuerda? Por ejemplo, podríamos pedirle que descargue una nube de ángeles al comando de Black Hawks y destruya con mortíferos pro-yectiles ultrarrojos a todos los violentos. Amén.

La tenebrosa secta de los bebés

«Estoy seguro —dice el manuscrito del profesor Ferenc Katalinek— de que un día la ciencia demostrará mi tesis. Es decir, que los bebés son una etapa posterior y final de los ancianos, y que integran una secta que domina al mundo».

El cuaderno del profesor Katalinek fue descubierto en 1954 en una guardería de Budapest. No lejos de allí se hallaba el cadáver del nonagenario científico húngaro: había sido asfixiado con un chupo. El explosivo documento permanecía en poder del gobierno húngaro desde entonces, pero hace algunos meses, un pediatra francés lo sustrajo y llevó a París antes de perecer atropellado por un cochecito infantil que se dio a la fuga.

Gracias a las fotocopias filtradas por un funcionario de Unicef, los nueve mejores periodistas del planeta hemos podido leer el manuscrito. Es un documento fascinante. «Cambiará la historia del mundo», me comentó Boris, el periodista ucraniano, en el sepelio del funcionario de Unicef, asesinado de seis teterazos mortales en el cráneo cuando descansaba en su casa.

Katalinek afirma que los viejos no representan, como hasta ahora creíamos, el extremo opuesto del recién nacido, ni tampoco la última escala del ciclo vital.

«La ciencia yerra —escribió el profesor—. Es como si calculara que el día comienza a la hora del almuerzo, con lo cual el alba rayaría al mediodía y el crepúsculo mientras desayunamos. La verdad es la opuesta: el anciano es un pre-niño. Digamos que un aspirante a bebé. La naturaleza se encarga de prepararlo para ello. Primero le derriba el pelo, como a los bebés. Luego los dientes. Al pasar los años, habla como bebé, camina con las dificultades del bebé, sorbe naco y sopitas dignas de bebé e incluso utiliza pañales, como el bebé. Un día, este anciano pide admisión para graduarse de bebé. Si Dios se la concede, se esfumará por un tiempo (eso que llaman muerte) y reaparecerá luego, convertido en óvulo fecundado, a fin de realizar un cursillo de nueve meses que le permitirá diplomarse de bebé».

La tesis es insólita, pero coherente. Durante unos años, no muchos, el ser humano disfruta del más alto grado que dispensa la vida: el bebeazgo. Duerme la mayor parte del tiempo; hace sus necesidades sin moverse del lugar; toma leche de la mismísima fuente; no va al trabajo ni a la escuela; le festejan las pequeñas estupideces que se le ocurren; lo bañan, empolvan y visten. Si llora por las noches, lo arrullan. Si alguien hace ruido cuando él duerme, lo amonestan. Si sufre de gases, le dan palmaditas amables para que los expulse. Cuando los larga con un sonoro ruido, por arriba o por abajo, todos aplauden, en vez de regañarlo, como ocurrirá unos años después. No se avergonzará si lo miran desnudo, y le besarán las nalgas con cariño: ¡pocas veces volverá a experimentar esa deliciosa sensación cuando sea mayor!

Durante dos o tres años el bebé será el rey de la casa. Después perderá poco a poco esa condición. La verdadera muerte («aquella noche oscura que la ciencia confunde con el mediodía», escribe Katalinek) será la adolescencia. Eso explica el olor a sudor, el acné, el bozo hirsuto, los gallos en la voz, las angustias por el tamaño del busto, la aparición de pelos en las piernas, las inseguridades, los deseos mal reprimidos, la falta de plata y los conflictos con padres, maestros y agentes de Tránsito.

Finaliza el cuaderno con letra temblorosa: «Resucita el ser humano cuando adquiere la serenidad de los treinta años y deja de crecer y de vestirse con ropa tres tallas mayor que la suya. De allí en adelante lo espera la vida. Si la suerte lo acompaña, logrará llegar a la vejez y prepararse, lleno de fe, para alcanzar el Nirvana del bebé y poner el mundo a sus pies. Pero este secreto nadie lo sabe. La secta imperante de los recién nacidos se encarga de ocultarlo».

La hipótesis me impresionó. Al mismo tiempo, no puedo ocultar mis temores. Sé que el día menos pensado un miembro de la secta vendrá por mí, como ocurrió al profesor, al pediatra francés, al funcionario de Unicef y a Boris, el periodista ucraniano asesinado: ¿me había olvidado de decirlo?

Anticipo lo que ocurrirá ese día. Me encontraré de repente con un bebé que me espera en la sala. Le preguntaré: «¿Eres tú Ferenc Katalinek?». El chino responderá «¡Angú!» y me envenenará con una compota de hígado de bacalao y ciruela.

Los bebés, recuérdenlo, son la secta que domina al mundo.

Carmen de blanco

Hace dos años, cuando Carmen cumplió cincuenta, una de nuestras más queridas amigas, sus amigos resolvimos agobiarla con regalos de máxima originalidad. Ya había recibido los guantes de ordeñador de búfalas, la caja de dientes de la bisabuela de Ramiro, la primera edición de *La vorágine* en yiddish y tres boletas para la rifa del burro, cuando llegué yo con mi sorpresa. Tan pronto Carmen desgarró el papel de seda todos entendimos que había sido el ganador. Era un traje de novia a su medida, barroco y reluciente, que conseguí a buen precio en la sastrería de mi prima Margarita.

Carmen celebró el regalo con carcajadas, pero yo noté que se emocionaba más de lo razonable.

Torres, su marido, que es profesor de derecho, también lo celebró. Las amigas de Carmen insistieron en que se lo probara, cosa que hizo al cabo de varios brindis y dos horas de boleros a cargo del Trío Corazón.

Torres y ella se habían casado veintiocho años antes por lo civil, tenían un hijo arquitecto y una hija médica, y era la única mujer del mundo que uno jamás habría imaginado en traje de novia. Tenía más posibilidades Fidel Castro de recitar «Pastorcita perdió sus ovejas» vestido de alumna de las monjas betlemitas que Carmen de enfundarse un vestido nupcial. Pero cuando se lo puso nos quedamos maravillados. Parecía sacada de *Vogue*. Blanca y radiante, como en la canción de Antonio Prieto. Hubo ohes, ahes, aplausos y, tras unos minutos de paralizada fascinación, Carmen mandó al carajo el vestido de boda, lo metió arrugado en la bolsa, regresó a sus bluyines viejos y pidió al trío que tocara *La barca*.

A los pocos días me llamó Torres. Estaba preocupado. Una tarde había sorprendido a Carmen contemplando el traje, y la víspera, de madrugada, ella se levantó sin hacer ruido, se maquilló a escondidas, se puso el vestido y se sentó a llorar en la cocina. Torres la había espiado y no quiso quebrar esos instantes de intimidad, pero quedó con el alma hecha un trapo y venía a pedir auxilio.

Le aconsejé lo obvio, y mi consejo fue un desastre. Cuando Torres la invitó a almorzar y le preguntó dulcemente si acaso quería casarse por la Iglesia, con traje de novia, muchos invitados, la marcha nupcial de *Aída* y lanzamiento de arroz, Carmen se levantó de la mesa indignada:

—¿Por quién me tomas? —le dijo—. ¿Por una cuchibarbie? ¿Por una de esas señoras lloronas que a los cincuenta años pretenden aferrarse a su adolescencia?

Carmen había militado en el MOIR, había hecho trabajo campesino, se consideraba feminista y rebelde, y Torres entendió que había metido las patas.

—Además —agregó Carmen—, ¿qué es lo que quieres? ¿Que Sebastián cargue las arras y Natalia lleve la cola?

Con todo, Carmen no se desprendió del vestido de novia, y, por ciertas huellas y trajines, Torres dedujo que de vez en cuando se lo ponía. Surgieron muchos silencios. El matrimonio empezó a deteriorarse. A Torres le dio la impresión de que Carmen andaba medio deschavetada. Él decidió marcharse de casa un día que encontró su armario ocupado por el traje blanco.

Meses después, Torres estaba perdidamente enamorado de una de sus alumnas de la universidad del Opus Dei. De familia muy religiosa, la muchachita solo aceptaba casarse por la Iglesia cuando Torres se divorciara «como Dios manda» («En realidad —comentaba Torres— parece que Dios prohíbe el divorcio, pero mi especialidad no es el derecho canónico») y no quería darle ni una muestra de amor antes de que santificara sus cabezas la bendición sacerdotal.

Le costó trabajo a Torres darle la noticia a Carmen. Él, de casi sesenta años, iba a contraer nupcias sagradas con una jovencita menor que su hija. Carmen lo tomó sin dramatismos. Tanto, que Torres se sorprendió y quiso pasarse de generoso.

—Ponme las condiciones que quieras —le dijo—. Te firmo el apartamento, te dejo el carro y te paso una plata al mes.

—Nada de eso —respondió ella, que trabaja y tiene buen empleo—. Mi única condición es que la niñita se case con el vestido de novia que me regalaron en el cumpleaños. Lo tengo atravesado como un fantasma. Llevo meses sufriendo por él, no por mí. He descubierto que es mucho peor un traje de novia sin novia, que una novia sin traje de boda.

Torres aceptó, pero la familia de la niña no. Por dignidad, dijeron, por decoro. Desde entonces, Torres y la muchareja viven juntos a la bartola. Y Carmen tiene casi convencida a Natalia de que se case pronto para que el «pobre traje» no se quede solterón.

Deconstrucción del anglicismo

No recuerdo cuál fue el cocinero español que logró la deconstrucción de la tortilla. Quizá Ferrán Adrià; pero tampoco recuerdo si se llama Ferrán Adrià o Adriá Ferrán, que de cualquier modo podría ser. Lo cierto es que me pareció un truco prodigioso: en vez de ofrecer la tortilla armada y lista, como en los restaurantes, se presenta al cliente una especie de copa enorme con el huevo acuoso, la papa hervida, la sal y la pimienta. El cliente ingiere el menjurje, arma la tortilla en la barriga, y el cocinero ahorra sumas colosales en gas y electricidad.

Aplicado al ajiaco vendría a ser más o menos así: en vez de echar en un tazón sopero tres clases de papa, pollo, guascas, alcaparras y crema, el cliente se instala frente a una bandeja donde yace, deconstruido, el santafereño plato. Primero devora trocitos de turma paramuna, criolla y sabanera; luego se empuja un muslo de pollo; después, una cucharadita de crema; enseguida, una manotada de alcaparras y, al final, un manojo de guascas. Remata todo con una taza de agua caliente y salada para que mezclen bien los ingredientes en el estómago. Y ya está: el ajiaco ha sido construido, reconstruido o incluso ensamblado entre pecho y espalda de la víctima. ¿Qué hemos ganado con ello? El cocinero, tiempo y candela. El consumidor, no sé. Pero dicen que prestigio, porque ha demostrado estar a tono con las corrientes gastronómicas del siglo XXI.

Inspirado en estos malabares, he descubierto un remedio para la deconstrucción del extranjerismo que tanto gusta a los comerciantes colombianos de los barrios con aires distinguidos. Puede aplicarse a otras lenguas, pero me limitaré a las palabras que nos invaden desde el inglés y, para simplificarlo aún más, a los ritmos estadounidenses y británicos.

La filosofía no tiene ningún misterio. Si para preparar la tortilla es preciso mezclar una serie de ingredientes, para no prepararla basta con NO mezclarlos. Como ya dije, aquella se denomina en los modernos manuales culinarios construcción y esta última, deconstrucción. De manera análoga, si para construir un anglicismo es menester incorporarlo al español con su nombre original, para deconstruirlo será suficiente con acogerlo traducido.

Los resultados, verán ustedes, son apabullantes. Términos ingleses de poderoso prestigio eufónico para un hispanoparlante, en especial un hispanoparlante que NO habla inglés, pierden todo su encanto y su misterio al pasar por el filtro de la traducción.

Imaginemos la siguiente escena de los años treinta: suena *Cheek to Cheek* en la pista de baile, y el admirador de la muchacha, en vez de invitarla a bailar el *foxtrot*, le dice:

—Concédame el siguiente trote de zorra.

Bofetada va, ojo colombino viene y la velada se convierte en velorio.

Pues bien: «trote de zorra» es lo que traduce exactamente el fementido *foxtrot*.

Tampoco sería igual que una quinceañera de entonces dijera a su padre: «Papá, estaba bailando *ragtime*», o que le confesara «Bailaba *tiempo de harapos* con Luisito».

Una pequeña lista de anglicismos bailables deconstruidos nos revela la lamentable hondura original de estas palabras presuntuosas.

Be Boop: «Golpe de berilio»

Beguine: «Comienzo»

Blues: «Azules» o, en el mejor de los casos, «tristezas»

Boogie: «Negrazo»

Country Dance: «Baile rural»

Double Step: El humilde «pasodoble», ni más ni menos

Funk: «Pánico»

Hip Hop: «Cadera en pategallo»

Heavy Metal: «Cacharrero pesado»

Punk: «Sin importancia»

Rap: «Palmadita regañona»

Rock: «Peñasco»

Rock and Roll: «Mecerse y rodar»

Soul: «Ánima»

Swing: «Meneo»

Twist: «Retorcedura»

Reconozco que algunas de las acepciones son algo forzadas y que la mayoría despojan de toda gracia a esos anglicismos que idolatran quienes quieren vendernos cosas más caras. De eso se trataba.

También le pasó a una prima mía: conoció a un inglés supuestamente emparentado con la familia real británica, y después de que la sedujo, la embarazó, puso el apartamento a su nombre y se escapó con la vendedora de la droguería, supimos que era un antiguo minero de Plymouth.

En cuanto a la tortilla, para que quede bien deconstruida en inglés habrá que someterla al mismo procedimiento que hicimos con los ritmos. En ese caso, su nombre sería *little cake*. No me pidan, eso sí, que traduzca el nombre del ajiaco. Ni siquiera en una columna como esta es posible cometer semejante crimen.

Te reconocí la voz

Vendo barato un secador de casco. A quien lo lleve, le encimo otro.
Favor escribir a esta columna.

Es en serio. Lo vendo barato. Y encimo otro. Hablo de esas cofias metálicas monstruosas donde las señoras meten la cabeza para secarse los marrones. Las que ofrezco solo pesan 45 kilos cada una y consumen más energía que el aire acondicionado del Coliseo Cubierto de Honda (ciudad de fresco ambiente, lejana cuna de mis antepasados).

La presencia de dos secadores de casco en mi casa es culpa de la revolución de las comunicaciones. Hace unos años desapareció de las líneas telefónicas el ser humano. Usted quiere quejarse por una elevada factura del gas, y no podrá hablar con nadie. Lo atenderán contestadores que indican qué botón apretar para comprar más gas, pedir una reparación o felicitar por su cumpleaños al jefe de suministros.

Pasa igual con los antiguos conmutadores, hoy llamados PBX con intimidadora sigla. Antes, las empresas ofrecían una voz real: la de sus telefonistas, que comentaban el estado del tiempo, daban la hora o coqueteaban con el que llamaba. Era una dicha hablar con ellas. Uno sabía que al otro lado del bejuco había una persona de carne y hueso (y a veces una carne y unos huesos privilegiados, como las señoritas del conmutador de *El Tiempo*:

las he visto, y por eso puedo afirmarlo). Si un deprimido estaba a punto de arrojarse por el balcón y llamaba para dar el último adiós a cualquier conmutador, la niña que contestaba no se lo permitía: lloraba, lo ilusionaba, le juraba comprensión y al final el pobre se aferraba a la vida con la ilusión de aferrarse un día a la muchacha que se la había salvado.

Después fue distinto. Si el desesperado anunciaba por teléfono su inminente defenestración, respondía una instrucción pregrabada: «Si quiere hablar con Gerencia, marque el 65; si quiere hablar con Personal, marque el 72; si quiere arrojarse por el balcón, suba al piso 23…».

Ya ni siquiera hay que hundir botones. Basta con hablar de manera clara y contundente. El resto corre por cuenta del invento. La última generación telefónica corresponde a máquinas reconocedoras de voz capaces de distinguir los sonidos del sí y el NO, el HOY y el MAÑANA, el PAGO POR CUOTAS, el PAGO DE CONTADO y el NO PUEDO PAGARLE, y otras frases elementales. Ignoro cómo lo hacen. A veces pienso que las empresas fingen usar estos sistemas y en realidad operan con subempleados famélicos y mudos que enchufan cables según las palabras que oigan en la línea. Dicen que son «contestadores inteligentes», pero solo porque lo inhiben a uno y lo hacen sentirse un bruto.

De la vida moderna me molestan los tales aparatos inteligentes y las empleadas domésticas con nombres extranjeros. Eran lindas las Tiburcias, las Crisantas, las Dioselinas. Ahora prefieren llamarse Yazzmine, Oderexis y Myladydi (sobre esto escribí varias columnas). Hace poco mi mujer contrató una con el soberbio nombre de Emperatriz. Y resulta que no le gustaba que la apelaran así, sino

Sissí, como la soberana austriaca. Nos tocó acomodarnos al horrísono apodo.

Lo malo es cuando se juntan las pestes. Un día llamé a averiguar el precio de un champú para cabello inexistente, y me salió un reconocedor de voz pregrabado. Respondí negativamente a la pregunta «¿Señora, es usted cliente habitual nuestra?» y afirmativamente a: «¿Busca una de nuestras ofertas de belleza?». El aparato empezó entonces a ofrecer productos que no me interesaban: colágenos, fajas reductoras, busto artificial (a cada uno yo escupía un sonoro «No» ante la bocina), hasta que ocurrió una triple y desgraciada coincidencia.

En el momento en que el bicho preguntaba «¿Quiere comprar un secador de casco?», mi mujer descubrió que Emperatriz no había limpiado el polvo de la mesa del teléfono y, antes de que yo pudiera hablar, gritó irritada al lado mío: «¡Sissí».

Una semana después, cuando me llegaron los dos secadores con una factura cercana al millón de pesos, descubrí que la nueva telefonía no es tan inteligente como proclama. En cambio, probará serlo el lector que me compre estas dos micas con reverbero que ofrezco por el precio de una.

La bacinilla de Lucho

El robo de la bacinilla del maestro Lucho Bermúdez, perpetrado en su casa-museo de Carmen de Bolívar, provocó conmoción en todo el país.

A raíz de aquella noticia, recibí en mi correo la letra de un merengue vallenato compuesto en décimas que se refiere al enojoso episodio.

Es una composición anónima que está firmada, simplemente, por «Decimero clásico». No alcanzo a imaginar qué autor tradicional, sincero admirador de la música de Bermúdez, puede esconderse tras el seudónimo, pero, a pesar de sus defectos como letra de canción, procedo a publicarla a modo de ayuda al esclarecimiento del robo.

Allá en su Carmen querida
está la casa de Lucho,
donde este músico ducho
pasó parte de su vida.
La ciudad agradecida
la volvió casa-museo;
para el pueblo es un trofeo
de sus memorias preciosas,

111

pero se pierden las cosas,
y eso me parece feo.

Estribillo
Ay, se perdió, se perdió, se perdió
la bacinilla de Lucho.
La gente la está buscando:
mejor que no busque mucho.

Entre tanta maravilla
que había en la ilustre vivienda
lo más raro era una prenda
modesta, humilde, sencilla
que conoció antigua gloria:
una vieja bacinilla
donde el coloso del arte
dejó parte de su historia.
La parte más amarilla,
pero no la mejor parte.

Y ocurrió que en vacaciones
muchos turistas llegaron
y la casa visitaron
en frecuentes ocasiones.
Eran de mil condiciones:
gente pobre, gente rica,
de la que elogia y critica
entre chisme y comentario.
Y al hacer el inventario,
se había perdido la mica.
¡Qué tragedia! ¡Qué irrespeto!

¡Qué agravio a Lucho Bermúdez!
Mas no apareció el objeto
porque, sudes lo que sudes,
hallar la mica es un reto,
una hazaña, una ordalía,
pues sirve para mil usos.
Y no la halló la alcaldía,
ni el Das ni la Fiscalía
en este país de abusos.

Pero con tantas reuniones
se filtró al fin la primicia
y sorprendió la noticia.
Sorpresa que no se explica,
pues en asuntos de mica
son obvias las filtraciones.
El caso es que el triste beque,
la vasija original,
se convirtió en un pereque
y en símbolo nacional.

Salieron editoriales,
se ofrecieron recompensas,
hubo pesquisas intensas
de urólogos especiales
y las huellas orinales
tomaron de mucha gente.
En busca del Presidente
una comisión viajó
y el Presidente ordenó:
«trabajar y trabajar».

Quien robó la bacinilla
supuso que aprendería
por esta urinaria vía.
Pero la música pilla
al copiador que obra mal,
pues el lamento, el aullido
y el monótono serrucho
del paseo comercial
se igualan al contenido
de la mica de don Lucho.

Mérmele, mérmele

Una revista semanal publica su informe anual sobre el sexo y los colombianos, y corremos a leerla mi mujer y yo.

—¿Ha visto este dato tremendo? —me pregunta ella—. El tres por ciento de los colombianos practica el sexo todos los días, y el 36 por ciento varias veces por semana. ¿Por qué me tocó a mí ser parte de ese 12 por ciento que solo se ejercita dos veces al mes?

—Agradezca el esfuerzo —le respondo—. Podríamos aparecer en el 22 por ciento que tiene la dicha dos veces por semestre. O una al año.

—Yo no le pido que sea Supermán, mijo, pero temo que le pusieron algunas piezas de kriptonita. Mire este cuadro: «Interés y deseo». Mi aspiración no es figurar en el 28 por ciento de las parejas que declaran deseos eróticos altos o muy altos. Pero ¿por qué no figuramos en el 54 por ciento de los moderados, sino en el 18 por ciento, el de los deseos muy bajos o inexistentes?

—No sé/no contesto.

—Y vea el cuadro del clímax. El 74 por ciento llega a él la mayoría de las veces o todas ellas. Nosotros pertenecemos al 14 por ciento, el del casi nunca.

—Pues le confieso que mi sitio es ese tres por ciento que no llega nunca.

—¡Peor!

—Pero mire este cuadro —trato yo de explicarle—. Allí señala que el 69 está de acuerdo con el sexo prematrimonial. ¿No le dice eso algo?

—Me dice que han cambiado mucho las costumbres.

—Bueno, pues le advierto que soy radical en esto: no solo estoy a favor del sexo prematrimonial, sino que estoy en contra del sexo postmatrimonial.

—No necesita decirlo. Lo he notado. Sobre todo en los últimos años.

—No se queje tanto, mija... ¡Ni que fuera caleña, que son las que tienen mayor imaginación sexual en la encuesta!

Mi mujer dobla la revista abatida.

—¿Qué nos está pasando? ¿Por qué no somos como las demás parejas? La culpa no es mía. Yo revisé mis promedios, y concuerdan con los de la revista. El que anda mal es usted. Hay algo en usted que no funciona. Tratemos de corregirlo; hablemos, mijo.

—No hay corrección posible —le contesto, y suelto una teoría que se me acaba de ocurrir—. Mi problema es culpa del presidente Uribe. No está en mis manos remediarlo, sino en las suyas.

—Ni que fuera urólogo en vez de abogado —dice ella con sorpresa.

—Ojo a este cuadro —le indico—. «Deseos y frecuencia». Aquí dice que 37 de cada 100 antioqueños quieren bajarle al ritmo sexual. Si lo hacen una vez por mes, hacerlo una vez cada dos meses; si lo hacen dos veces por

semana, hacerlo una; si lo hacen todos los días, hacerlo solo todas las noches.

—¿Y eso qué tiene que ver con el presidente Uribe?

—Pues, para empezar, que él es paisa, y seguramente estará en ese 37 por ciento que dice «mérmele, mérmele». Es un tipo muy ocupado y no debe de quedarle tiempo ni de cumplir en casa. Por eso pide menos actividad de alcoba y más labor de oficina. Su formulita de «trabajar, trabajar y trabajar» es muy peligrosa, pues uno puede terminar trabajando. Inclusive, trabajando mucho. Y ya se sabe que el que trabaja mucho, poco se divierte. Llega fundido a casa, y a dormir.

—Ojalá fuera a dormir. ¡A roncar, en su caso!

—Por culpa de Uribe, insisto. ¡Cómo roncará ese hombre, después de las jornadas que se mete! De solo pensar en ellas, caigo en ese 58 por ciento que no usa ningún método anticonceptivo porque no lo necesita. Con el ronquido basta.

—Pues si la culpa es de Uribe —señala mi mujer—, le cuento que voy a dar un viraje en mi posición política.

—¿Y eso?

—Yo estaba contra la reelección, pero ahora me voy a volver partidario de ella.

—¿Quiere cuatro años más con poco sexo?

—Al contrario. Voy a apoyarlo con una sola condición.

—¿Puedo saber cuál es?

—Que me le cambie a la reelección la «l» por una «r».

Crucigrameros y crucigramistas

¿Crucigramero o crucigramista? El Diccionario calla al respecto como una jirafa muerta. Pero, basado en la autoridad que me da mi afición a las palabras, me permito nominar aquí y ahora: el que prepara o elabora crucigramas, *crucigramero*; el que los disfruta o resuelve, *crucigramista*.

Hago la aclaración pues me dispongo a hablar del rey de este pasatiempo, Alejandro Rivas Franco, eximio crucigramero del diario *Hoy* y autor de unas pistas ingeniosas y ya célebres a las que me atrevo a llamar *alejandrinas*.

«Vibrador con lecho», dice una de ellas. Seis letras. El lector (crucigramista) mordisquea el lápiz y repasa algunos términos eróticos. No dan. No cuadran. Acude entonces al *Kamasutra*, las memorias de Casanova, el Informe Hite y *Playboy*. Menos. Ninguna palabra de siete letras se acomoda a la sugestiva definición. Y es porque la mayoría de las respuestas al crucigrama de Rivas tiene su clave en la cultura popular latinoamericana, colombiana, bogotana y, para máxima precisión, chapineruna. De poco sirven enciclopedias y diccionarios.

En este caso, bastaba con recordar un joropo para saber que las seis letras eran A-R-A-U-C-A. Sí, señores, el famoso Arauca vibrador.

Así son las trampas que pone a sus agradecidas víctimas este autor de endiablados dameros que en pocos años ha creado una entusiasta cauda de seguidores. Va otra, de tres letras: «Arroyo que suena». Descarten *cantarín* (muy larga), *río* (no encaja con las verticales) y *crecido* (le sobran cuatro).

La respuesta acertada: *Joe*.

«Mis preguntas —dice Rivas— están planteadas con ingenio y malicia. Siempre esconden una respuesta fácil que solo saldrá después de recordar, asociar, relacionar y pensar». Por eso recomienda paciencia y cerebro antes de llenar las casillas. Un error conduce a otro, y al final el crucigrama se vuelve un laberinto sin sentido.

De cuatro letras: «Mata sin peros». La primera reacción: sicario, asesino, homicida, pistolero... Ninguna se acomoda al tamaño. Desesperado, el crucigramista escribe pendejadas como ruin, loco, capo o malo. Con malicia y asociación habría arribado a la verdadera respuesta: «olmo».

Son de ese calibre las celadas de Alejandro Rivas, un ingeniero electrónico bogotano de 49 años de quien se dice que heredó de su tío Federico Rivas Aldana («Fraylejón») la vocación de jugar con las palabras.

Pero la versión está errada. Rivas Franco a duras penas conoció a Rivas Aldana. «Fraylejón fue, de lejos, el mejor autor de crucigramas que ha tenido Colombia —dice—. Pero mi única relación con él fue en las primeras comuniones de mis primos. Era culto e inteligente, pero hosco y cascarrabias. Alguna vez lo vi preparando un crucigrama en un bus, y no sonrió ni una sola vez».

La manía de las letras fue herencia, sí, pero de su mamá, Beatriz, crucigramista enloquecida («insana» suelen decir los «crucis»). Como estas vainas se contagian, Alejandro contaminó a su mujer, Inés Elvira, y a sus tres hijos. Todos son protocrucigrameros y le ayudan a redondear y revisar las alejandrinas de *Hoy*.

Diariamente, Rivas madruga a construir su crucigrama, que abarca de 435 a 464 cuadritos, y un pasatiempo complementario de figuras o adivinanzas («Jugarretos») de donde salen más pistas. Los Jugarretos ya entrañan un desafío bastante peludo. Quien no ha oído música de buseta, no mira avisos, no repara en fotos de prensa o no leyó a don Rafael Pombo, está perdido. Verbigracia: «Michín dijo a su mamá/, voy a volverme ¿QUÉ?/ y el que impedirlo se meta/ en el acto morirá». Son seis letras, y el final rima con «meta». La respuesta es, por supuesto, PATETA.

Para su labor de crucigramero Rivas se arma de ingenio, papel y música. Durante las ocho horas de trabajo que le demanda cada divertimento, oye zarzuelas, trozos de óperas, boleros y rancheras. Así ha sido desde 1996, cuando debutó como cruzador de letras en *La Prensa*. Después pasó por *El Espectador*, *La Nota Económica* y otros periódicos, hasta hacerse fuerte y crear una secta en el diario vespertino que sale por las mañanas.

Para que ustedes se den una idea de las definiciones o pistas que ofrece Rivas Franco en sus celebrados pasatiempos, voy a proponerles un pequeño juego. Presentaré enseguida cincuenta alejandrinas tomadas de sus crucigramas y el lector será el encargado de adivinar las respuestas. Como no se trata de torturar a nadie, sino todo lo contrario, al final encontrarán las soluciones.

(Aconsejo al crucigramista asesorarse de un bogotano o un chapineruno para mayor suceso en la prueba).

He aquí, pues, el rimero de alejandrinas reales.

1. Isla francesa que es medio ilegal (3 letras)
2. Animales para pasar la calle (6)
3. Su trabajo es el esperado (8)
4. Sabihondas que huelen a feo (8)
5. Crucífera que manda importar el fresco (6)
6. Anotación importante (3)
7. (MUY IMPORTANTE Y REITERADA) Juega en Santa Fe (2)
8. Un conductor de primera (7)
9. Metal que produce fiebre (3)
10. Donde las pereiranas meten las patas (4)
11. Darse en la jeta (5)
12. Plataforma de lucha (4)
13. Descendientes con los que se es condescendiente (6)
14. Lana de la cara (6)
15. Mata para calmar los ánimos (9)
16. Señora que perdió el juicio (3)
17. Tierra de moras (6)
18. Judía rica (6)
19. Tienda a la que se debe ir solamente si no la ve (6)
20. Número que tiene penitentes (3)
21. Municipio erótico de Boyacá (4)
22. Consuelo de Malo (4)
23. Pacho Rudas (6)
24. Pena perpetua (3)
25. Señora con alas (4)
26. Telas para calzoncillos de bayetas (8)

27. Beso pendejo (3)

28. En la mitad de los huevos (3)

29. Señor que corre por las medallas (6)

30. Piedra que no deja ver (3)

31. Sueños que pueden ser los sueños de algunas (7)

32. Tipo que manda en la casa (4)

33. Seis al revés (5)

34. Sopa que deja callado al gringo (4)

35. Mete en el hueco (9)

36. Pichoneas (6)

37. Término lobo para reunión de notables (7)

38. Mejorar el lecho (6)

39. Desparpajo del alma y la barriga (7)

40. Ente que se preocupa por nuestras lagunas (2)

41. Liga para piernas largas (3)

42. Termina en acuario (5)

43. Fallo del árbitro (5)

44. El que mata del cartel (6)

45. Viudo perseguido (9)

46. Chiva *light* (9)

47. Señora que se nos liberó hace tiempos (8)

48. Costillas que se resienten cuando dormimos de espaldas (7)

49. Miembros masculinos (5)

50. Coja por las caderas (5)

Soluciones:
1) Ile. 2) Cebras. 3) Atrasado. 4) Pedantes. 5) Rábano. 6) Gol. 7) As. 8) Alambre. 9) Oro. 10) Otún. 11) Besar. 12) Ring. 13) Nietos. 14) Alpaca. 15) Valeriana. 16) Rea.

17) Arabia. 18) Alubia. 19) Óptica. 20) NIT. 21) Toca. 22) Peor. 23) Lentas. 24) Oso. 25) Rola. 26) Lloretas. 27) Muá. 28) uev. 29) Ratero. 30) Ira. 31) Motosos. 32) Nené. 33) Nueve. 34) Mute. 35) Enchocola. 36) Pillas. 37) Pléyade. 38) Dragar. 39) Soltura. 40) A.A. 41) NBA. 42) Enero. 43) Laudo. 44) Torero. 45) Uxoricida. 46) Novelería. 47) Panameña. 48) Esposas. 49) Socios. 50) Renca.

El tamaño no exporta

Varones de Colombia: sin que muchos se percaten, sin que nadie lo denuncie, se ha perpetrado irreparable insulto contra nuestra hombría. Hoy, por culpa de un ministro que se arrugó ante las circunstancias, somos un poco menos machos que antes. Exactamente un 25 por ciento menos.

El infamante caso aparece en una noticia publicada el 29 de marzo del 2003 en *El Tiempo*. Allí se nos informa que nuestro ministerio de Comercio Exterior accedió a reducir la talla promedio «del miembro masculino colombiano» (sic) de 16 centímetros a 12. El origen del lío parecería ser burocrático, pero me temo que detrás de esta radical circuncisión se esconde la nefasta y reductora mano del neoliberalismo.

Explica la noticia que el ministerio registra en sus tablas de importaciones y exportaciones miles de productos, entre los que se hallan los preservativos. En dicha tablas Colombia había declarado que no permitiría la importación de condones de tamaño inferior a 16 centímetros, porque «no se ajustaban a las medidas de los colombianos». En otras palabras: se ajustaban demasiado, apretaban, oprimían. Somos un pueblo mestizo de importantes manifestaciones anatómicas. Es fácil entender que un elástico de talla pequeña (por ejemplo, 14 centímetros, medida promedio de los pueblos anglosajones) ahorca al usuario, impide la circulación de la sangre y la cosa puede terminar muy mal: necrosada o, incluso, sin cosa.

Ocurrió, sin embargo, que pueblos de dimensiones fálicas aún más pequeñas (particularmente los del Lejano Oriente, cuyo promedio, certificado por peritos y peritas, es de 13 centímetros) se quejaron de que sus artículos eran rechazados por culpa de la talla inferior de los preservativos que pretendían vender en nuestro país. Y vinieron las presiones gobierno a gobierno, y las declaraciones de los neoliberales en pro de la apertura comercial y, al final, nos degradaron los requisitos técnicos.

En suma, el ministerio capituló. Y capituló, queridos compatriotas varones, ¡¡en cuatro (4, IV) centímetros!! Por vainas de la globalización aceptó rebajar nuestra talla sexual promedio de 16 centímetros a 12 (igual a la declarada ante el GATT por los esquimales, habitantes perpetuos del yerto mundo ártico).

Compatriotas: hay mucho trecho de 16 a 12. Una cuarta parte. A ver cómo reaccionarían los suecos si su gobierno decide que el promedio de altura nacional ya no será de 1,80 sino de 1,35 metros… Para mayor afrenta, el periódico encontró un médico según el cual «el pene de los colombianos mide en promedio entre 12 y 14 centímetros de longitud en estado de erección, con desviaciones de 2 centímetros antes y 2 después».

¿Habían visto ustedes un esperpento científico parecido? ¿Desviaciones a estribor, a babor, a proa? ¿«Antes» y «después» de qué? ¿De que lo midan en el ministerio de Comercio Exterior?

Estamos, pues, ante un gravísimo irrespeto contra el hombre colombiano, sobre todo porque la noticia se ha filtrado a la prensa internacional. Me comentan muchos viajeros que notan cómo ahora se ríen de ellos en otros países y los saludan mostrándoles una falange del dedo índice. A mí mis amigos españoles empezaron a llamarme «chiquitín» y mis amigas españolas ni siquiera me llaman.

Afortunadamente somos un pueblo pacífico: por mucho menos han derrocado gobiernos y guindado ministros de sus 12 centímetros. Aquí pasa algo. O fallan los encargados de medir estas cosas (además, ¿con qué derecho las miden? ¿Y con qué metro? ¿Y con qué clima?), o falla la muestra (puedo afirmar que no fui incluido en la investigación, ni antes ni después), o metieron bebés en el promedio, o, lo más probable, estamos ante una nueva exigencia para rebajar nuestras tarifas aduaneras, nuestros aranceles y nuestras medidas.

Si esto es sin el ALCA, ¿se imaginan lo que ocurrirá cuando firmemos el tratado continental de libre comercio? En ese momento, para vendernos los preservativos de la Barbie, conseguirán que el ministerio acepte como tamaño promedio del colombiano 3 centímetros «antes» y, como gran cosa, 4 «después».

Dicen que el tamaño no importa. Mentira: el gobierno colombiano ha logrado demostrar que a menor tamaño, mayores importaciones.

Mirando y hablando

Fui el primero en sorprenderme el otro día cuando mi mujer se salía a hacer el mercado y le pedí un antojo:

—De caridad —le dije— tráigame sumercé unos bocadillos veleros…

—Dirá veleños.

—Eso, mamita, veleños. Pero no me vaya a decir que esto o lo otro para no traerlos…

—¿Qué es lo que le ocurre? —preguntó mi mujer—. Está hablando lo más de rarito.

—¡No, qué tal! Lo que pasa es que ¿sí o no que es la primera vez que le digo mamita a sumercé?

Mi mujer hizo un gesto y oronda se fue. Después, cuando regresó con los bocadillos, opinó que ya sabía por qué estaba hablando así, lo más de rarito.

Me puse a pensar, y ella está en lo cierto. Ya sospechaba yo que no me convenía ver demasiada televisión. Soy muy sensible, es lo que pasa. Por eso se me pega de todo, ¿sí? Incluso la manera de hablar de Mirando Zapata.

Mirando Zapata, para el finlandés o el coreano que no lo sepa, es uno de los personajes principales de la telenovela *El inútil*, donde hay un pocotón de amigos míos, o, si no amigos, digamos gente que me distingue. Están el Víctor Mallarino, que es el mismo Mirando Zapata; y el inútil, que es el joven Arango; y el chino Sanín, lo más de gracioso; y un primo mío de apellido Gnecco; y la, cómo les explicara yo, la ex mocita del doptor Gnecco, que es una costeña muy alentada; y una sardinita lo más de respingada, la Lucero Helena, que también es familia de yo.

La Lucero Helena queda embarazada —en la obra, se entiende— porque estaba un poco desinformadita. Pero jamás de los jamases en la vida real. Yo eso lo aclaro porque no falta el individuo que lo murmulle, y la cosa se vuelve un problema para la familia: le pierden el respecto a la nena y acaban pensando que es una guaricha o cosa por el estilo, ¡Santo Dios bendito!

Mi mujer andaba con la idea de prohibirme ver la televisión, que dizque para que no se me siguiera pegando el acento de Mirando. Eso no me parece acertado. En estos tiempos, a uno las cosas se le meten al celebro con la misma velocidad que se le salen, ¿sí o no?

Además, donde empiecen con las restrisiones en la casa, quién sabe adónde vamos a parar. No se distraigan de que para ver un programa necesitemos permiso escrito con firma de la cónyuge en documento debidamente plastificado.

—Pero, ¿es que no entiende que Mirando Zapata se le ha instalado en la lengua, y yo lo que quiero es sacarlo de allí antes de que se le suba a la cabeza? —alegó mi mujer cuando pretendió prohibirme la telenovela.

—Yo sí me doy de cuenta, mamita —le contesté—. Pero no creo que sea tan difícil desenchuflarlo. Va a ver sumercé que, no más termine *El inútil*, el tal Mirando ese se me pasa. Me va a dar neuralgia que se acabe, no lo niego, pero ha de ver lo que le digo.

—Pues le informo de que le puse llave al televisor, y desde mañana le echo candado cuando aparezca el tal Mirando.

—Pueda que yo sea muy bruto y se me haiga pegado el hablado, pero no me haga eso, de caridad.

—¿Sí o no que se lo advertí?, papito, de que no siguiera en esas? —insistió mi mujer, con un tono como rarito, ¿sí me entienden? Como si a ella también la estuviera afectando Mirando Zapata.

—Sumercé me va a perdonar, que todo eso es culpa mía —le dije, sorprendido—. A yo me toca responsabilizarme, porque veo que a usté también se le pegó el habladito.

—Ni en chiste, mijo. Usted lo que está es mamándomen gallo.

Fue ahí cuando me di de cuenta de que la obra nos estaba causando prejuicios a ambos dos, y yo mismo eché candado al aparato y me jarté la llave. Y a ver quién la busca puallá.

Ropa de marca

El otro día tuve la mala suerte de estar presente en una reunión de banqueros y empresarios yupis. Fue insoportable, pero al menos me sirvió para dejar en claro un par de cosas sobre moda. Después de media hora soporífera en la que hablaron sobre golf y no hubo un solo comentario sobre fútbol, uno de los angelitos dijo:

—Me encanta el traje que llevas puesto. ¿Es Armani?

—Es Óscar de la Renta —contestó el primero.

—Curioso —interpeló otro—: por la caída de las solapas habría jurado que era un Pierre Cardin.

Surgió así algo que fue para mí una alucinación: un grupo de varones que gastaban 15 minutos hablando sobre marcas de ropa. Era una escena que yo había oído, pero siempre con damas como protagonistas.

—A mí como que el Armani me desfigura —comentó el gerente de un banco que no diré.

—Es un problema de talle —aclaró el vicepresidente local de una multinacional de química—. El Armani es demasiado entallado. Te conviene un Adolfo Domínguez, que es más suelto. Por lo menos mientras adelgazas.

—Incluso un Valentino —intervino el director financiero de una firma de inversiones—. En caso de duda, la solución es un Valentino con camisa Ralph Lauren.

¿Son estos (me preguntaba yo mientras tanto) los representantes de la nueva Colombia? ¿Son estos los que se encargarán de que «la economía crezca» y «el estado se achique», como les oí decir? ¿Son estos los que harán la «revolución de las costumbres» en nuestro país?

—O un Calvin Klein, aunque quizás sea demasiado deportivo —aportó el gerente de una agencia publicitaria.

Yo no salía de mi asombro, y eso me impidió ver lo que se avecinaba. Ambas preguntas me cogieron por sorpresa.

—¿Y tú que marca de ropa usas? —inquirió el financiero.

—¿Te vistes en Armani o en De la Renta? —agregó el publicista.

Preguntarle eso a un tipo como yo, que luce dichoso camisas heredadas de Juan Gustavo Cobo, chalecos de lana de D'Artagnan y zapatos que le quedaron chiquitos a la Chiva Cortés, era como preguntarle a una oveja por una fritanguería. Pero Dios tiene un departamento que se ocupa de los pobres de espíritu, como yo, de modo que duré apenas dos segundos con cara de idiota, y un instante después descendió del cielo un ángel invisible que me recordó cierta noticia publicada la víspera.

—Yo —dije con orgullo— ¡me visto en León Echeverry!

Mi respuesta, planteada con decisión y altivez, los dejó fríos. Poco después abandonaban el tema de la ropa y media hora más tarde abandonaban la reunión, dispuestos a averiguar quién era ese novedoso diseñador latino.

Todavía deben de estar buscándolo en las Páginas Amarillas, donde no aparece, o en el Anuario Internacional de la Moda, donde nunca se asomará. Para ahorrarles a ustedes la pesquisa, les diré que León Echeverry, mi diseñador preferido, es un antioqueño que trabaja en el Banco de Santander en Medellín. Un día llegó a la oficina vestido de manera que disgustó al jefe, quizás por demasiado deportiva, y tuvo que soportar la siguiente impertinencia:

—¿Por qué vino vestido en esta forma? ¿Acaso va para una finca?

Jorge León Echeverry (tal es su nombre completo) no se dejó acomplejar y contestó:

—Ya estoy muy viejo para que alguien me indique la forma en que debo vestir. Me tiene fastidiado con su actitud.

Dos días después, la empresa le canceló el contrato de trabajo. Por eso, porque su ropa no le gustaba al jefe. Echeverry demandó a los patrones ante un juzgado laboral; la empresa alegó que el hombre había sido irrespetuoso; los testigos afirmaron que no era así, sino que defendió con energía su derecho a vestir mal.

Se produjo entonces un proceso que me devolvió la fe en la justicia colombiana: la empresa apeló ante el Tribunal Superior, y el Tribunal dictó sentencia a favor de Echeverry. Luego, en última instancia, el caso llegó ante la Corte Suprema de Justicia, y esta noble entidad, orgullo de las instituciones patrias, dictaminó que vestirse inadecuadamente no configura justa causa para despedir a un trabajador.

León Echeverry, mi modisto preferido, fue reintegrado a su empleo y supongo que el Banco le habrá pagado salarios caídos.

Desde ese día, quienes vestimos con lo primero que encontramos en el cajón, sin reparar en juegos de colores, formalidades, tamaños, armonías de estilos ni pendejadas de esas, tenemos claro que nuestro guardarropa forma parte, orgullosamente, de la *Lion Echeverry Collection*.

Véndese lengua

En Viena, Austria, un equipo médico logró realizar el primer trasplante exitoso de lengua. El paciente padecía en la lengua un tumor del tamaño de un balón de fútbol, lo cual le dificultaba la masticación, para no mencionar el cobro de tiros libres. Los médicos austriacos reemplazaron la lengua enferma por la de un anónimo donante. Al parecer, la operación fue un éxito, aunque solo podrá saberse dentro de unos meses, cuando la lengua se deshinche por completo y el paciente vuelva a hablar y degustar sabores.

Por lo pronto debemos celebrar que alguien haya tenido la sabiduría de reemplazar lengua por lengua. Hasta hace poco —lo digo en serio— la única prótesis existente en caso de extirpación de este órgano era un trozo de intestino delgado. Intestino delgado, ¿se imaginan? ¿Saben ustedes dónde está el intestino delgado? ¿Recuerdan aquel mapa del sistema digestivo: estómago-intestino delgado-intestino grueso-recto-ano? ¿Y saben lo que circula por su interior?

Los médicos alegan que aunque la lengua sustituta no es muy estética —cosa comprensible, pues equivale a cambiar una corbata de boda por una lombriz—, la boca no rechaza al intestino delgado. Esto ya me parece altamente sospechoso de la boca. Salvo en su presentación de longaniza, yo rechazaría firmemente un intestino delgado, sobre todo si se trata de reemplazar con él un órgano que sirve para recitar versos y saborear la dulzura de la miel. Al intestino delgado le pasa lo que a ciertos ministros, y es que no está preparado para tanta dignidad.

Dicen que en el mundo solo hay unas pocas docenas de personas a las que se reemplazó la lengua enferma por un pincho de tripa. Pero yo les aseguro que he topado con cientos de personas que, en vez de lengua, llevan intestino. Y, a juzgar por lo que les oí decir, muchos de ellos no cargaban en la boca un palmo de intestino delgado, sino de intestino grueso y, en algunos casos, lo que allí bullía era el tramo final del aparato digestivo.

Todo lo que relato sería mera divulgación científica apoyada en mi autoridad como académico de la lengua, si no fuera porque me asalta una preocupación social. La inmigración masiva de gentes del Tercer Mundo a Europa y Estados Unidos está acompañada de maneras inverosímiles y a veces dramáticas de rebuscarse la vida. La pobreza no alimenta, pero engorda la imaginación, y gracias a eso los pobres inventan recursos extremos para agenciarse unos pesos. Los chinos tienen montado un tráfico de ciudadanos vivos por ciudadanos muertos que les permite renovar permanentemente su población ultramarina. Cuando un chino muere en San Francisco, al rato aparece otro con su misma cédula de ciudadanía. Todavía hay chinos que circulan con papeles viejos de Lin Yutang, por ejemplo. Mientras tanto, los hindúes controlan el mercado negro de riñones. Si algún rico necesita un riñón, va a la India, escoge el candidato que le gusta y le compra el riñón. Mucho menesteroso vende su riñón pensando que se defiende con el otro, y clientes no faltan porque si hay algo fácil es el trasplante de riñones entre vivos. Lo operan hasta las manicuristas con un bisturí y dos curitas.

Lo que me desvela es que otros emigrantes descubran que pueden volverse proveedores vivos de lenguas para trasplantes. Al fin y al cabo, una jugosa recompensa por el órgano bueno le permitirá al donante salir de pobre y comer durante el resto de su vida, aunque le toque hacerlo callado. Los riesgos son obvios. El deslenguado gana plata, pero pierde capacidad de expresión.

El beneficiado estrena presa, pero se expone a que a los seis meses de la operación, cuando se le deshinche la nueva lengua, acuda a donde el médico y este le pregunte en alemán cómo se siente, si le duele y si ha recuperado el habla. El cirujano se sorprenderá tanto como el rubio paciente cuando ambos oigan que la lengua perpleja dice en español:

—Oís, ¿qué estará preguntando este berraco doctor, hombre?

George and me

George W. Bush quiere dar un revolcón a su campaña antes de que le pase lo que a su amigo Aznar en España. Lo deduzco porque acabo de recibir (juro que no miento) un mensaje que dice literalmente (en inglés):

Muchas gracias por enviar un e-mail al presidente Bush. Sus ideas y comentarios son muy importantes para él. Dado el alto volumen de mensajes electrónicos que recibe, el Presidente no puede responder personalmente a cada uno. Sin embargo, el personal de la Casa Blanca tiene en cuenta e informa sobre las ideas e inquietudes de los ciudadanos.

Juro de nuevo para decirles que no sé por qué me manda Bush este mensaje. Para empezar, jamás le envié correo alguno. Ignoro su buzón, y ni siquiera tengo claro si vale la pena gastar mi tiempo en reorientar su gobierno. Además, ando enfrascado en unos compromisos que no me dejan un minuto libre. Se lo juro, Mr. Bush. No es porque no quiera ayudarle.

Lo que más me inquieta es que agradezca mi mensaje y declare que «mis ideas y comentarios» le son muy importantes. Ignoro si me confunde con otro, o si no ha entendido mis columnas. También puede ocurrir que, después de haberme leído, haya llegado a la conclusión de que como va, va mal, y necesita cambiar su rumbo. Si es esto lo que pasa, me complacerá mucho contribuir al nacimiento del Nuevo Bush y no tendré inconveniente en trasladarme a la Casa Blanca para que George y yo pongamos en práctica las ideas y comentarios que tanto le interesan. En otras palabras, nuestro programa de gobierno.

Eso sí, debo advertirle a Georgie (¿puedo llamarte «Georgie»?) que, antes de mi llegada, tiene que echar a la mitad de sus ministros y asesores. Yo no puedo ser copresidente de un gobierno lleno de mentirosos que anuncian armas nucleares donde no las hay, y de sujetos pendencieros dispuestos a arreglar todo a tiros. Optaremos por una política pacifista, George. Vamos a poner en manos de la onu el problema de Irak, respetaremos el Consejo de Seguridad, firmaremos cuantos tratados se necesiten para proteger el medio ambiente y no trataremos de imponer a todos nuestras recetas de comercio.

El primero que tiene que salir es Donald Rumsfeld. No sé si te pasa lo mismo, Georgie, pero no soporto el gestico bilioso de este personajete, ni su cara de dolor de estómago, ni sus comentarios envenenados. Collin me cae mejor, pero le faltaron pantalones para detener la invasión cuando vio que los motivos que él mismo alegaba eran falsos. Y la señora del nombre raro, también. No solo porque me parece una extremista, sino porque aún no logro aprender la ortografía de su nombre. Demasiadas ees y zetas. ¿Te imaginas el galimatías ortográfico que habría armado aquel vicepresidente de tu taita, el que escribía «arrós» con ese? (Ya sé que el asunto fue con una papa, no con el arroz, pero escribo para un público de habla hispana, querido Jorge, ese que intentas conquistar con mi vinculación a tu campaña).

Íbamos en tus asesores. Hay muchos más que salen. Pero no agregaré nombres, pues supongo que captaste la onda y sabes a quiénes debes despedir antes de que yo renueve mi visa y proceda a viajar.

Ah, la visa. Debes saber que, una vez estemos tú y yo en la Casa Blanca, acabaremos con el carameleo de las visas, y la maña de extenderlas solo a los ricos. Sabes cómo queremos a tu país en el mío, George amigo, de modo que se acabarán las discriminaciones.

Hecho lo anterior, iré a Washington y pondré a tu servicio mi interesante bagaje de ideas y comentarios. Pero, ya que fuiste tan amable en tu mensaje, voy a confesarte algo, Georgie boy: mi primer proyecto, apenas te reelijan y nos posesionemos, será pedirte que renuncies a la Presidencia. Como Nixon. Lo hago por una razón que no te puedo ocultar más tiempo: este mundo no aguanta otros cuatro años tuyos, querido George.

Y si no te gusta mi franqueza, por favor no vuelvas a escribirme.

matador

Con el rabillo del ojo

Hay personajes que, en un momento de franqueza arrebatada, confiesan que hace veinte años mataron a una amante, o llevaron una segunda vida como prostitutas o han asaltado sistemáticamente los fondos públicos. Todo lo anterior es pálido al lado de lo que acaba de revelar a la opinión pública el alcalde de Bogotá, Antanas Mockus. Según dijo, cuando era estudiante no vacilaba en acusar ante los profesores a sus compañeros que copiaban, espiaban con el rabillo del ojo o robaban el cuestionario de exámenes. A partir de tan execrable ejemplo —óiganme bien— propuso su conducta como modelo para la ciudadanía.

Es posible que su intención fuera noble: instar a los bogotanos a que denuncien la delincuencia. Pero también fue noble su propósito de acallar, hace unos años, una protesta estudiantil y lo que hizo, aquel célebre «desplante rectoral», resultó tan desagradable como el instrumento utilizado. Y no era propiamente el rabillo del ojo, sino todo lo contrario: el ojillo del rabo.

El primer error que comete Mockus es asimilar el alumno que copia a un delincuente. No jodás, alcalde. Yo podría hacer una lista larguísima de estudiantes excelentes y disciplinadísimos, contumaces delatores de sus condiscípulos, que años más tarde, en la vida real, fueron colosales defraudadores del fisco, capitalistas explotadores, funcionarios corruptos o traficantes de influencias. Y también podría elaborar otra, aún más larga, de compañeros míos que utilizaron pastel o comprimido en un examen de química o tenían código de señales en dictados ortográficos, y son hoy ciudadanos de honorabilidad blindada.

A algunos de los que fueron en mi colegio ingeniosos copiadores les firmaría hoy un cheque en blanco; en cambio, le negaría hasta la dirección de internet al sapo de la clase o a los infames que tapaban la hoja con el codo para que no pudiera copiarla el vecino. Con estos tipos no quiero tener nada que ver, y me temo que Mockus era uno de ellos.

Así, pues, que la picardía estudiantil para aprobar el curso solo tiene un valor entendido como acto de indisciplina escolar, pero no como anuncio de conductas penales. Deducir de un soplo en una previa a un futuro criminal es como pronosticar que el delantero que exagera una falta para conseguir un penalti es un prevaricador en potencia.

Valdría la pena debatir dos puntos más. Primero, si es condenable que el estudiante copie. Segundo, si es tolerable que el compañero lo denuncie. Mi señora madre —a veces tan mencionada por algunos lectores— fue siempre profesora de colegio y tenía las ideas muy claras al respecto:

—Yo no prohíbo que el estudiante copie —decía a sus alumnos el primer día de clases—. Lo que sí le aconsejo es que, si copia, no se deje agarrar.

Perfecto. Es deber del maestro anular el examen copiado o castigar al estudiante que acude a anotaciones de contrabando en la mano o en el pupitre. Pero esta obligación del profesor está equilibrada, en el extremo opuesto, por el derecho del alumno a copiar, soplar, pasar papelitos o acudir a cualquier otro método ingenioso —teléfono celular, audífono escondido, reloj con fórmulas de química anotadas, etc.— para superar un examen. Eso sí, para que el alcalde no se preocupe: ni matar, ni sobornar, ni amenazar. El límite es el ingenio.

Estos actos que escandalizan al burgomaestre tienen una explicación, y es que el sistema de calificación escolar es esencialmente injusto. No dispongo de espacio para exponer los 78 argumentos que avalan mi tesis, pero si preguntan a cualquier escolar mayor de tres años, hará una exposición brillante al respecto, incluso en medialengua. En suma: el alumno, al buscar una buena nota apoyado en truquitos (si quieren los llamamos fraudes, no me asusta la expresión), solo está defendiéndose de un sistema injusto.

Sistema tan viciado y terrible, que considera niños virtuosos a esos sapos de incalificable deslealtad que son capaces de denunciar a sus compañeros por haber pillado el cuestionario del examen en una caneca de la fotocopiadora.

Mi testamento (4)

En estos tiempos desorientados y de angustia, los pensadores estamos obligados a encender luces en el camino. Impulsado por tan comprometedor deber, ofrezco la cuarta entrega de «Mi testamento», que recoge aforismos y escolios de este servidor (aunque a veces ni yo mismo lo creo, de lo buenos que son algunos).

Nunca mires con asco a quien busca algo en la basura. Dadas las condiciones, tú también lo harías. ¿O lo has hecho ya?

Nadie puede decir que jamás ha rescatado algo de un recipiente de basura.

Sonríe a menudo: esa es característica de sabios. Pero no sonrías siempre: esa es característica de idiotas.

No te preocupes por el qué dirán. Interésate por el qué están diciendo ahora y averigua qué fue lo que dijeron ayer.

En determinadas circunstancias, el tuerto ve mejor que el vidente. ¿Por qué crees que cerramos un ojo al apuntar por la mira?

Que el tuerto no se burle del ciego. En todo caso, el ciego siempre palpa mucho mejor que él.

Cuando el erotismo pasa, queda el amor sosegado. ¡Qué pereza!

La justicia no consiste en dar a cada quien lo que le corresponde, sino en dar a cada quien lo que debería corresponderle.

Todo es relativo. Sacrifica primero un ojo que una pierna. Pero sacrifica antes las dos piernas que los dos ojos.

Después de adjudicar una desgracia, Dios se conmueve y suele adjudicar un parabién. Pero rara vez a la misma persona.

No sabemos si alguna justicia ultraterrena permitirá al difunto conocer la lista de los familiares y amigos que faltaron a sus exequias.

Ya que me hiciste cobarde para el dolor, Señor, al menos vuélveme masoquista.

Nadie estará obligado, por ninguna circunstancia, a salir de su casa en noche lluviosa. (*Borrador de un inciso a los Derechos Inalienables del Hombre*).

No hay que creer a los pesimistas: siempre es posible caer un poco más bajo.

Dicen que el tiempo es oro. ¿Dónde puedo cambiar por dólares veinte años que me sobran?

Algo grave suele ocurrir en la vida privada de las parejas que se adoran conspicuamente en público.

Nunca preguntes a un abuelo por sus nietos, pues aprovechará para contarte largamente cómo son. Ahora bien, ya que me preguntas por ellos...

Es insuficiente toda seguridad. Usar simultáneamente tirantes y cinturón no garantiza que la bragueta esté cerrada.

Habrá que cambiarle el nombre al mes de julio, para que no siga confundiéndose con junio. Propongo «acosto» como nuevo nombre.

Otra posibilidad: en vez de julio, ponerle enrique. Así lo hizo un primo mío con su hijo, y le ha salido bien.

No deshojes con melancolía la margarita del porvenir; tala vigorosamente el árbol del presente.

Inquietud para periodistas: si en boca cerrada no entran moscas, ¿en boca mosqueada no entrarán cierres?

Hablan de un elíxir que te regresa a los quince años de edad. ¡Qué pesadilla!: acné, exámenes trimestrales, cantantes de moda, sudor excesivo, zapatos de tenis descomunales, pantalones a media pelvis…

De entre todos los filósofos, prefiero al pesimista optimista: aquel que tiene fe en que la humanidad será capaz de superar sus peores récords de infamia.

Haz como el computador: cuando te encuentres demasiado agobiado, hunde esc y vete.

De nada te sirve llegar a tiempo al lugar equivocado.

Hay quienes, puestos a escoger entre el amigo y el dinero, optan por el amigo adinerado.

La cuestión no es si existe otra vida; la cuestión es si no resultará aún peor que esta.

Los periódicos virtuales son a los periódicos impresos lo que la radiografía de Julia Roberts es a Julia Roberts.

Nunca compres un carro ni un perro más finos que tú; la diferencia saltará a la vista.

El que cree en refranes se mete en afanes.

Proverbio rimado, engaño cantado.

El adorno de oro, cuando sobra, afea.

No importa repetirse; es señal de convicción. Por eso no importa repetirse, porque es señal de convicción.

La lejana tercera edad

Perdónenme, pero estoy que no aguanto la indignación y el estupor. Acabo de leer que la Asociación Colombiana de Gerontología realizó la primera Encuesta Nacional de Envejecimiento, con miras a conocer la opinión de los colombianos sobre la vejez. ¿Y saben cuál es una de las conclusiones de los encuestados? Que «consideran que la tercera edad empieza a los 58 años».

No conozco a la Asociación Colombiana de Gerontología, no he leído en su integridad la encuesta de marras, ni sé quiénes fueron los entrevistados. Pero de algo estoy seguro: los 58 años no son, no pueden ser, nunca han sido, no serán, ni fueron jamás, el comienzo de la tercera edad. La tercera edad surge muchísimo después.

Los 58 años, por el contrario, son la flor de la vida, el momento en que se unen estrechamente, como bailando bolero, la mocedad y la adultez, de modo que los privilegiados que ostentan esta edad disfrutan de los frescos atributos de la juventud y de las más reposadas virtudes de la madurez. Es tan noble y sabia la cincuentayochería que han pensado darle el Premio Nobel, pero no logran decidir si concedérselo en la categoría de sabiduría, simpatía, hermosura, sosiego o inteligencia.

149

¿Tercera edad los de 58 años? Qué estupidez más grande. Anoten algunas cosas que han hecho individuos en tan atractivo calendario.

Juan Pablo II se posesionó como el primer Papa atómico de la historia; Isaac Asimov publicó su libro número 200 (sin duda el mejor de todos); sir Jeffrey Wyatville empezó a restaurar el castillo de Windsor (ustedes no lo conocen, pero el hombre era un berraco); Haydn viajó a pie de Hungría a Londres, componiendo sinfonías en el camino como quien toma masato; Cervantes escribió *El Quijote* (esa maricadita...); James Counsilman atravesó el Canal de la Mancha a nado; David Livingstone, que recorría el África a pura pata, se encontró con H. M. Stanley, un periodista 28 años menor que casi no lo alcanza; John Hollander construyó el primer submarino moderno; Hoover inventó la aspiradora eléctrica; Verdi compuso *Aída*; Charles Mackintosh inventó la primera gabardina impermeable; Rodin esculpió *El beso*, considerada como «excesivamente erótica» (sí: los de 58 somos «excesivamente eróticos», ¿y qué?)...

Díganme ustedes con toda franqueza (y, sobre todo, pido la opinión sincera de los que tienen 58 años): ¿les parece que quienes lograron semejantes portentos merecen pertenecer a la tercera edad? ¿No es verdad que quienes sostienen eso son unos idiotas?

Podría tratarse de algún error de imprenta en la Encuesta Nacional de Envejecimiento. Quizás se refieren a gente de 65 años, que es cuando en los países civilizados entran en vigencia los descuentos en cines, buses, metro, museos y espectáculos de variada naturaleza. No hace mucho se reunieron representantes de los principales paí-

ses del mundo para estudiar la propuesta de empezar los descuentos por ancianidad mucho antes. Algún tarado sugirió que se iniciaran a los 58 años. ¿Y saben qué pasó? Que los delegados montaron en cólera y dijeron que no estaban allí para hacer regalos a los muchachos y que si seguían proponiendo pendejadas, mejor se largaban.

De modo, pues, que podría ser un error. Y si no lo es, querría saber quiénes fueron los encuestados. Dice la información que respondieron 552 personas en seis ciudades. Claro: eso puede explicar la torcedura en los datos. Somos 45 millones de colombianos, y van y se consiguen a escasos 552 para que rajen contra los adolescentes tardíos de 58 años. Además, ¿alguien puede mostrarme a veinte, o diez, o cinco de los encuestados? ¿Cómo sabemos que sí existen, que no son un invento de envidiosos? Yo también puedo encontrar 552 tontos que opinan que el mundo es plano como una bandeja y el Sol gira alrededor de la Tierra. Algunos, incluso, están en el Congreso. Pero su opinión no le quita redondez al mundo ni altera la mecánica solar. Lo mismo pasa con la tercera edad.

Otro punto es que, si realmente existen esos 552 tontos, la muestra está irremediablemente equivocada y no es representativa del país. Seguramente eso fue lo que pasó: que, en vez de abrir la encuesta a la juventud, fue respondida por 552 viejos catanos de 59 años. ¡Con razón...!

Vaya regalitos...

Siempre quise saber qué diablos se regalan los jefes de Estado cada vez que hay una reunión oficial entre dos de ellos. Los periódicos mencionan a veces que el presidente Fulano y el rey Mengano sostuvieron una amable conversación e intercambiaron regalos. Que la conversación fue amable, no lo dudo. Pero, ¿qué regalos intercambiaron? Rara vez los periodistas lo cuentan, pese a que este seguramente sería el dato más interesante para cualquier lector.

Me imagino que obsequiarán cosas de su país. ¿Qué le regaló, por ejemplo, el presidente Álvaro Uribe a Lula da Silva cuando sostuvieron su entrevista oficial? ¿Un anillo de esmeraldas, una caja de bocadillos veleños, un zurriago antioqueño, un bulto de café suave? ¿Y con qué le correspondió Lula? ¿Un balón de fútbol, una tanga, un bulto de café amargo?

Hace pocos días el misterio se reveló, al menos parcialmente. Cuando se encontraron en Irlanda el presidente francés Jacques Chirac y, su vecino, el primer ministro británico Tony Blair, aquel entregó a este media caja de vino Château Mouton Rothschild de 1989, una cosecha espectacular. Ignoro cuántas botellas forman la media caja, si seis o doce, pero, a razón de 250 dólares por corcho, estamos hablando de un regalo que ni a usted ni a mí nos darán nunca nuestros vecinos. No es lo más generoso que he oído en mi vida —de hecho, dar medias es bastante grosero: media caja de bocadillos veleños, media totuma de manjar blanco, medio bulto de café—, pero es un detalle.

En cambio, ¿saben qué le regaló Blair a Chirac? ¿Están preparados? ¡Una foto enmarcada de Leo, su hijito de tres años! Y dedicada. El guámbito, bastante confianzudito, escribió con letra patoja: «Para Jacques, de Leo». Leo y no creo. Con una sonrisa tan forzada como si su vecino le regalara a usted un retrato de su mamá (la mamá del vecino), Chirac mostró la foto a la prensa. Ahí se ve al mugre chino en el pasto junto a un casco de beisbolista. Es un niño como todos. Si hubiera tenido dos cascos y dos cabezas, habría sido un recuerdo interesante. O si el regalo no hubiera sido para el seriote de Jacques Chirac sino para Michael Jackson.

Lo más absurdo es que el hecho de que Chirac mostrara la foto a la prensa provocó un escándalo en Inglaterra, pues el gobierno británico afirma que exhibir la infantil imagen violaba la intimidad del primer ministro. El país cuyo palacio real está lleno de falsos mayordomos dispuestos a contar a qué horas hace pipí la reina, el país que graba las llamadas del Príncipe de Gales a su amante, se escandaliza de que Chirac enseñe la foto de un niño cuya existencia conocen todos y cuyo aspecto es idéntico al de cualquier otro niño inglés de su edad. ¡El mundo al revés!

Pero el problema no es ese. Sino la desilusión que produce saber el nivel de regalos que se dan los jefes de

Estado en estos tiempos mezquinos. No pido que volvamos a las Mil y Una Noches, cuando los reyes regalaban al visitante sus propias señoras enjaezadas con valiosas alhajas. (El visitante solía devolver las señoras, por cortesía, y quedarse con las joyas). Pero estos tipos de ahora son lecciones de avaricia encorbatada. Media caja. Una foto del nené. Lo extraño es que Blair no le haya dado a Chirac solo media foto.

Como siempre, los más generosos son los pobres. Colombia tiene admirable tradición de país espléndido. Cuando Guillermo León Valencia fue nuestro embajador en España, regaló al dictador Franco un caballo de paso castellano. Es decir, paso español. Parece que, en reciprocidad, Franco lo invitó a comer empanadas de pipián y le dio una carga de café suave. Y eso no es nada: tuvimos un presidente que regaló a la regenta de España nada menos que el tesoro Quimbaya. Eso fue en 1892 y ahora la Academia de Historia del Quindío quiere recuperar el inapreciable tesoro. Ofrece, a cambio, un retrato de Tomás y Jerónimo, los hijos del presidente Uribe. Pero no con casco de beisbolista, sino con corrosca típica.

San Giacomo de internet, enter pro nobis

El ciberespacio ya tiene su santo. Después de una consulta supuestamente democrática realizada a través de la red, el Vaticano escogió a San Giacomo Alberione como patrono de internet.

Había varios aspirantes. El que arrancó en punta fue San Isidoro de Sevilla, pero desfalleció en la primera curva. Muy viejo estaba. Del siglo VI. Al cabo de los días, quedaron solo candidatos italianos, como en la final de la Copa de Campeones de Europa, lo cual ya es rarito. Yo ya sospechaba quién iba a ser el vencedor. Y lo fue, claro. Adecuadamente, el Vaticano lo anunció por internet, y hubo ciberalegría, infojúbilo y e-moción entre sus seguidores. El santo al que deberemos invocar cuando tengamos problemas con la red nació en 1884, fue fundador de varias revistas religiosas, impulsó las publicaciones católicas, editó Biblias al alcance de todos y murió a los 87 años en olor de tinta —que es muy parecido al de santidad—, pocas horas después de haber recibido una visita de despedida del papa Pablo VI.

Siempre pensé que eran mejores candidatos San Expedito, por la velocidad que su nombre sugiere, o nuestro célebre telepadre Cecilio, que confesaba por casete en

Sábados felices y abrió así nuevas posibilidades a la Iglesia. Pero no pudo ser: los italianos ya tenían bien montado el chocorazo.

A pesar de todo, y con esa admirable humildad que nos caracteriza, el padre Cecilio y el autor de estas líneas hemos querido ser los primeros en divulgar una oración a San Giacomo Alberione. Al faltar la columna del padre Llano —que era favorita de miles de millones de fieles, aunque, de puro laico y liberal, *El Tiempo* no quiso reconocerlo en sus estadísticas de los comentaristas más leídos—, pensamos que la columna «Postre de Notas» podría ser el vehículo para divulgar el rezo.

Lo hacemos convencidos de que los problemas informáticos suelen ser de tan complicada naturaleza que, si no los remedia mi asesor informático Hernán Rojas, necesitan la intervención celestial de San Giacomo.

He aquí, pues, la novena al patrono de la www que, como su nombre lo indica, debe rezarse nueve veces por día, porque internet no puede esperar nueve días.

San Giacomo de Alberione, que en lo más alto del ciberespacio estás...

Te rogamos que alejes a nuestra red de las tentaciones del Demonio y, sobre todo, las desconexiones del servidor...
De las caídas del sistema, protégenos;
de los servidores inestables, líbranos;
de los virus destructores, defiéndenos;
de la publicidad electrónica, sálvanos;
de los que mandan poemas con fondo lila, escóndenos;
de los falsos programas gratuitos, cuídanos;

de los chats chatos, guárdanos;
de los romances por correo, alértanos;
de las listas de correo, sácanos;
de los hackers, blíndanos.

Las contraseñas, recuérdalas;
la desfragmentación del disco, acelérala;
los chistes pendejos que circulan en la red, bórralos;
el Scan Disk, mejóralo;
las memorias rom y ram, auméntalas;
las grandes rebajas informáticas, anúncialas;
las tarifas telefónicas, redúcelas;
la velocidad de Google, elógiala;
el lenguaje de los participantes en foros, púlelo;
la ortografía de esos mismos sujetos, corrígela;
la columna de Guillermo Santos, léela;
las cadenas piadosas, suprímelas;
la piratería por la red, frénala (¿pero cómo?).

A los ciberpederastas, encarcélalos;
a los que mandan tarjetas de cumpleaños por la red,
*   [púdrelos;*
a los que compran pornografía por internet, grávalos;
a Microsoft, contrólalo;
a los que por engañarnos manejan una jeringonza inglesa,
*   [confúndelos.*

Cuando cambies de buzón, avísanos;
con los emoticones, abúrrenos;
los anexos muy extensos, evítalos.

Y, en todo tiempo y lugar, defiende nuestro computador de los amigos y familiares que se meten con él a perder el tiempo con jueguitos idiotas que le desorganizan la configuración.

Oh, San Giacomo, tú que estás a la diestra del Creador del Éter, haz que la red descienda en costos, crezca en velocidad y se ensanche en posibilidades, para bien de toda la humanidad...

Amén.

Un «test» ovalado

Leo con interés la última revista *Credencial*, que dedica varias páginas a asuntos del amor, la monogamia y la fidelidad conyugal. El informe trae datos curiosos sobre el tema. Por ejemplo, que la mitad de los latinos son infieles; que el temible Atila falleció mientras hacía el amor con su esposa número 453 (donde pisaba su caballo no crecía la yerba, pero donde pisaba Atila solo crecía una cosa); que uno de cada cinco matrimonios dura más de medio siglo (¡lo que aún me falta...!).

Y allí, en esa sabrosa ensalada informativa, tropiezo con un bocadillo que me deja boquiabierto. Lo copio textualmente para que ustedes se asombren tanto como yo:

«De acuerdo con una investigación de la Universidad de Manchester, existen indicios biológicos de que el tamaño de los testículos se correlaciona significativamente con la infidelidad. Es decir, a más volumen, más promiscuidad».

Saquen ustedes las conclusiones obvias sobre la inteligencia de los maridos fieles y la idiotez de los maridos cimarrones. A mí lo que me sorprende es que alguien, en la Universidad de Manchester o donde se quiera, resuelva un día medir el volumen testicular en una encuesta sociológica sobre comportamiento conyugal, y sacar de allí correlaciones.

¿Cómo se le llega a ocurrir eso a alguien? ¿Cuál es el proceso por el cual se incluye, al lado de las preguntas sobre edad, estado civil y grado de educación, el volumen del equipamiento oval?

Imaginemos la escena. Solemnes salones de la Universidad de Manchester. Grupo de circunspectos profesores y profesoras convocados para preparar la investigación sobre fidelidad matrimonial. De repente, en la etapa del diseño de la encuesta y propuesta de datos clínicos, un catedrático levanta el brazo:

—Midámosles también los testículos. Solo a los varones, *of course*.

Asentimiento general en la sala.

—¿Centímetros o pulgadas? —pregunta otro sabio.

—Yardas —opina otro profesor, pues en esto los británicos son muy tercos.

—Yardas cúbicas, porque hablamos de volumen —corrige el titular de la cátedra de matemáticas.

—*Of course*.

Queda incorporado.

Me inquieta saber, así mismo, cómo logran que el encuestado acceda a la medición. Con seguridad ustedes han visto esos jóvenes que lo detienen a uno en las esquinas para formularle preguntas. Imaginemos la escena. Paradero del bus 16. Una señorita, cuestionario en mano, dispara preguntas durante veinte minutos a un caballero que se dirige a su casa. Antes de terminar, le dice:

—Ahora, me gustaría medirle a usted los testículos, si no tiene inconveniente.

—Por supuesto que no —contesta el caballero con británica cortesía.

Y el señor se baja los pantalones y la muchacha le toma las medidas pertinentes, mientras los demás parroquianos carraspean y pretenden mirar el Big Ben.

El problema con los computadores es que uno les tira datos y ellos buscan correlaciones. Por eso son capaces de alcanzar conclusiones como la citada acerca de la promiscuidad y el volumen testicular.

Pero aún no termina mi inquietud. ¿Qué hacemos con el dato? ¿Prever conductas? ¿Otorgar certificados? ¿Incorporarlo a la cédula?

En una época estuvo de moda la frenología, seudociencia que pretendía adivinar el comportamiento según la forma de la cabeza. El paciente se sentaba en un banquito y el frenólogo colocaba sus manos sobre el cráneo del individuo, recorría su topografía y proponía conclusiones: peligroso como amigo, sensible para la poesía griega, recomendable como jefe de almacén. ¿Será igual con la testiculología?

Imaginemos una vez más la escena. Antes de casarse, la novia exige al novio que se someta al molesto examen. En este caso, el banquito lo ocupa el especialista y el cliente se para frente a él. El sabio toma en sus manos el objeto materia de estudio («¡Pasito, doctor, pasito!»), lo sopesa, lo mide, lo tienta y concluye:

—Será fiel por la derecha, pero será muy promiscuo por la izquierda.

Eso sí: cuando el volumen triplique la media nacional, los titulares de tal desproporción serán nombrados profesores de la Universidad de Manchester.

Prblimas de la mla letre

Siempre lo temí, siempre lo presentí, siempre lo supe: buena parte de los muertos por «causa natural» no son más que víctimas de un error caligráfico.

Ahora una investigación realizada en Estados Unidos confirma mis sospechas. Dice un reciente informe del Instituto por una Medicina Más Segura (ISMP) que cada año mueren en ese país unos 2.000 pacientes como resultado directo de recetas confusas por culpa de la letra horrorosa del facultativo que las dispensa. Otros 5.000 se marchan para siempre a las regiones insondables adonde no llegan internet ni la Administración de Impuestos como consecuencia de recetas mal interpretadas en la droguería; en total, entre 44.000 y 98.000 personas fallecen por errores médicos.

Las estadísticas son terroríficas. Los ejemplos también. Dice el ismp que es frecuente que se confunda la letra *U*, abreviatura de «unidades», con un cero. De este modo, la fórmula que recomendaba al enfermo ingerir 3 unidades se convierte en la prescripción de 30 pepas, y ya puede usted suponer lo que significa para una pobre señora desvelada zamparse dos docenas y media de Dormidol SuperX. Muere plácidamente, es cierto, pero el intenso color verde del cadáver provocará pánico en la funeraria.

Entre los casos frecuentes aparece una confusión aún más improbable, esta vez entre Tequin, un antibiótico para enfermedades respiratorias, y Tegretol, un remedio para evitar las convulsiones epilépticas. No sé bien cómo funciona el asunto en la caja del cuerpo, pero si a un asmático le embuten sobredosis de Tegretol lograrán evitarle las convulsiones que no tiene hasta dejarlo sin la respiración que le era escasa.

Nada de esto me extraña. Al ver las recetas manuscritas de los médicos, uno juraría que entre las clases que reciben a lo largo de la carrera figuran cursos progresivos de destrucción caligráfica. En manos de una persona normalita es posible que una W parezca una M o que una I mayúscula se asemeje a una L minúscula. Pero un médico es capaz de escribir una Z de manera que se confunda con una P, una P que se confunda con una X y una X que se confunda con un dibujo pornográfico.

Intente usted descifrar una receta médica, y si logra descubrir aunque sea la fecha, yo le regalo una caja de Tequin de modo que le vendan Tegretol. La mera firma parece un defecto del papel: qué decir del resto…

Lo malo es que los farmaceutas creen que son capaces de descifrar lo que escriben sus compinches de delantal blanco (o bien les asusta desafiar la Santa Veneración Debida al Médico) y lo poco que quedaba de coherencia a la receta se pierde definitivamente con la interpretación del hombre o mujer de la droguería.

Repito que las cifras suministradas corresponden a Estados Unidos, uno de los países con medicina más desarrollada del mundo, donde una legión de abogados acecha el menor descuido de cualquier profesional para esquilmarlo. Ya puede suponer lo que ocurrirá en países lejanos cuyos médicos estudian a distancia por el método de señales de humo: imagino que muchos garrapatean recetas incomprensibles porque son llanamente analfabetos.

Piensen también lo que puede pasar en culturas que no emplean letras sino ideogramas. En países como Japón, China, Corea, la receta no es una sucesión de letras sino un dibujo de rayones parecidos al juego de cero y cruz. Un palito más largo convierte el ideograma de *jabalí* en ideograma de *calzoncillo*, de modo que allí puede pasar cualquier cosa: incluso que fuercen a un pobre paciente griposo a una dolorosa dosis rectal de plátano hartón, porque es sabido que se parecen mucho el ideograma de *banano grande* y el de *supositorios*.

En resumen: mucho cuidado con las recetas médicas. Si su galeno (¡qué horror de palabra! Lo que hace un columnista inerme por rebuscar un sinónimo…) de cabecera tiene mala letra y redacta galimatías o galenimatías, pídale que le escriba la receta en el computador o en alguna máquina de escribir que haya sobrevivido a Bill Gates. Si el galeno se niega, entonces exíjale que le dicte. Si insiste en manuscribir él, convénzalo de que lo acompañe a la droguería y le lea la receta al farmaceuta. Y si nada de lo anterior funciona, gírele un cheque por sus honorarios escrito con caligrafía médica: que los ceros parezcan puntos suspensivos; los ochos, un signo de pesos; y los pesos, centavos. De este modo, los 815.000 pesos no serán más que 15 centavos.

Ah, y si viaja al Extremo Oriente, aguántese el catarro o lleve en la maleta plátanos hartones previamente hervidos y licuados.

De las manchas, protégenos

Hace poco recordé con añoranza las películas del Gordo y el Flaco, donde abundaban escenas como esta: los dos llegan a un restaurante y ocupan silla ante la mesa; se amarran al cuello unas grandes servilletas que caen hasta las rodillas, y ordenan un pollo para entre ambos. El mesero regresa con dos platos: el del Gordo, con una miserable ala; y el del Flaco, con el resto del animal. Ambos asoman la cabeza por entre la servilleta: el Gordo, iracundo; el Flaco, dichoso.

¡Qué bueno fue evocar de nuevo aquella escena! Y, al mismo tiempo, ¡qué nostalgia! Me pregunté entonces qué se hicieron, qué camino cogieron, cuál es la explicación de que ya no estén con nosotros, por dónde andarán... No hablo del Gordo y el Flaco, que murieron hace años, sino de las servilletas. Sí: ¿qué fue de aquellas estupendas servilletas de antes, diseñadas con generosidad para lo que son, es decir, para evitar que la comida manche la ropa? ¿Por qué las cambiaron por mínimas servilletas de tela o deleznables servilletas de papel?

Comprendí en ese momento que la evolución de las servilletas en el último siglo refleja la sinrazón del mundo. Ahora es imposible conseguir servilletas como las que usaban el Gordo y el Flaco, y además nos rigen unas absurdas normas de urbanidad según las cuales es preferible una corbata manchada de salsa que una buena servilleta en el pecho.

No sé cuándo empezó a rodar la servilleta cuerpo abajo del usuario, pero películas y fotografías de hace sesenta años prueban que a la sazón estaban en pleno auge las servilletas grandes y protectoras. Creo que fueron los ingleses los que dieron el primer resbalón y descolgaron la servilleta del pescuezo, donde estaba muy bien, hasta el pecho. Digo que los ingleses, porque en las aerolíneas británicas uno todavía encuentra que las servilletas llevan un pequeño ojal en la esquina. Ese ojal se ajusta al segundo botón de la camisa, de modo que el pecho queda guarnecido, pero los hombros no. Así, pues, cualquier estornudo o sacudida de espaguetis (que antes de entrar a la boca suelen dar coletazos inesperados) salpican directamente las solapas.

Después —debió de ser por los años sesentas— la servilleta descendió aún más. Ya no era elegante guindarla del segundo botón, sino acostarla en reposo sobre al abdomen. A partir de ese instante la corbata y el busto quedaron a merced de las gotas de sopa y los chorreones de guiso. El último retroceso surgió en los años ochenta, cuando se volvió de medio pelo la servilleta a medio pecho, y descendió del todo hasta el canto del varón o el encanto de la mujer, que es su regazo. Desde entonces se considera mala educación llevar la servilleta en sitio visible. Debe estar allí, sobre las rodillas, donde le es imposible amparar la camisa, el saco o el comienzo de los pantalones, y tan solo resguarda aquel sector del cuerpo que ocupa una posición horizontal al sentarse.

No solo es absurdo reducir la servilleta a tan limitada área, sino que se presta para equívocas situaciones. Muchas veces uno ve, en cenas elegantes, a una señora que parece observar el paquete de los caballeros, quizás con el ánimo sicalíptico de comparar bultos. Pues bien, en realidad la pobre dama solamente está buscando la servilleta que le corresponde: ustedes saben que, en mesas numerosas, con un parroquiano que se equivoque de pan o de servilleta se forma un carrusel de errores que termina en que alguien queda privado de ambos.

Más de una vez me ocurrió que mi mujer retiró de manera inconsulta mi servilleta a fin de recoger un vino derramado sobre el mantel, operación que ahora encierra mucho riesgo. Yo ya le he advertido con claridad:

—Nunca le levante la servilleta a un señor, porque de pronto se lleva una sorpresa.

Eso no pasaba en épocas del Gordo y el Flaco. ¡Qué tiempos aquellos! Las ciudades eran chiquitas, las servilletas eran grandes y tanto las banderas como las servilletas tenían más importancia mientras más arriba estaban.

Hoy no. Hoy lo elegante es usarlas como taparrabos, pero solo por delante. Y que lo demás se manche.

Lo que dijo Uribe al Papa

Don Daniel querido (*me escribe un paisa anónimo*):

Vea, hombre, yo tengo el cargo de conciencia de que por andar discutiendo pendejadas políticas nadie le puso bolas al momento más importante del paseo que hizo el presidente Uribe a Europa.

Me refiero a la visita del dóctor al Santísimo Papa. Eso sí que fue bueno y bonito, don Daniel querido. Qué hombre más berraco ese Pontífice, vea. Tiene como quinientos años, y está enterito. Bueno, no enterito, un poquito desportillao, pero tiene su cabeza perfecta y su espíritu intacto, aunque le tiemblen alguito las manos y tenga que inclinarse un poco, como silletero en desfile. Qué varón más santo, don Daniel querido. Todos a darlo por muerto, y él, pistola. Los que se han metido a anunciar que nos deja han acabao más aburridos que sordo en almacén de discos. Ái ta y ái se queda.

Me quejaba, don Daniel querido, de que informaron poco sus coleguitas sobre la visita al Vaticano, tal vez porque ái no había pelea, ni podía haberla, pues estos dos varones están tocaos por la gracia de Dios y se entienden a las maravillas.

Tan bien se entienden el Santísimo Papa y el santísimo Uribe que yo hasta he llegao a pensar que el Papa es de Titiribí y lo llevaron chiquito a Varsovia pa' que le agarrara gusto al frío.

¿No se ha preguntao, don Daniel querido, qué le dijo Uribe al Santo Padre cuando lo recibió en el Vaticano? Yo estaba ahí y le tengo información de primera mano. Vea.

Uribe lo saludó y le dijo algo así como «Qui'hubo, hombre, Santopadre, bonita tiene a Roma, estamos muy contentos». Y el Papa, que no es tipo pa' perder tiempo en pendejadas, le soltó de una su discurso sobre la paz y la fraternidad. Luego el Presidente le pidió que bendijera al comisionado de paz, Luis Carlos Restrepo. Por algo será, don Daniel querido, que pidió bendición especial para él. A mí no me pregunte, que yo no sé nada. El Papa dijo cómo no, Álvaro, y le echó su bendición y preguntó por la Virgen de Chiquinquirá, y Uribe le dijo que pensaba llevársela pa' Guarne, porque desde que los Casas se fueron pa' Bogotá en Chiquinquirá no pasa nada.

Apenas terminó lo del traslado de la Virgen, le pasaron a Uribe un carriel montañero pa' darle al Papa. El Presidente estaba muy emocionao, porque pensaba que el Santo Padre se iba a sorprender mucho, pero qué va. ¿Sabe lo que le dijo el de blanco? ¡Que ya tenía uno de esos, que se lo habían dado cuando su viaje a Colombia!

Uribe, más sorprendido que gallina a la que le salen dientes, se molestó mucho de que se le hubieran adelantado. «Eso tuvo que ser Belisario», comentó después, «porque Gaviria es pereirano y allá no conocen el carriel». De todos modos, Uribe insistió en dejarle el regalo y dizque le dijo:

matador

—No, hombre, don Papa, yo se lo dejo porque me cuentan que tiene el otro muy usao.

No me diga que no fue una buena salida, don Daniel querido. El Papa sonrió, recibió el nuevo carriel y, en reciprocidad, le regaló al Presidente un rosario y unas monedas viejas. El Presidente ya tenía varios rosarios, pero se hizo el bobo y le agradeció mucho y hasta le preguntó que cómo funcionaba. En cuanto a las monedas, prefirió dárselas al guardaespaldas, porque, como usted sabe, a él le viven robando la billetera.

Y ahora sí, lo mejor. A un cardenal le dio por preguntar qué llevaba el carriel, tal vez por la vaina esa del terrorismo, y el Presidente, que, igualito que el rosario, también tiene sus misterios, le contestó que se trataba de un secreto entre él y el Papa, y lo dejó mirando pa' un chispero. Oiga, pues, ¡un secreto! Usted y yo sabemos que qué secreto ni qué carajos. Un carriel lleva una baraja de tute, una cajita de mentol chino, tres dados, el escapulario de la Virgen del Carmen, la novena de María Auxiliadora, una barbera, una manotada de puchos, el yesquero, un espejo, cuatro dos mil pesos y una peinilla de cacho.

Yo no sé, don Daniel querido, qué habrá hecho el Papa con el ungüento, los cosiánfiros de jugar, la plata y los puchos. Pero puedo garantizarle, por lo que veo últimamente en televisión, que ese hombre está saliendo más bien peinado y afeitado que Gardel. O sea que sí le sirvió el regalo.

¿Qué hace esa rata aquí?

Mi relación con las ratas y los comedores ha sido intensa y curiosa.

Primer ejemplo.

Una amiga preocupada por mi salud me lleva a un restaurante vegetariano. «Te conviene comer solo alimentos naturales de origen botánico», advierte. En el restaurante hay pancartas contra la agricultura transgénica, las corridas de toros y la energía atómica. También un afiche de la Sociedad Protectora de Animales.

Cuando nos disponemos a estudiar la carta, suena un grito procedente de la mesa vecina: una monja acaba de divisar una rata...

—¡Imposible! —clama abochornado el mesero—. Aquí observamos estrictas normas de higiene. Este es un restaurante natural.

—Se metió debajo de esa alacena —informa la monja, encaramada en la misma mesa en la que yo acabo de subir. Estamos abrazados y temblando.

Una cocinera gorda con cara de pocos amigos se asoma y entre ella y otro empleado mueven la alacena. En efecto, allí, acobardada, sorprendida, se encuentra una rata enorme. Nadie, ni Hitler, tiene hígados para atacar a una rata que tiembla en un rincón. Alguien la rodea con un asiento. Queda presa.

—Arrímenle un plato con estricnina —propongo aterrado.

—O racumín —añade la monja, que parece saber de roedores.

El mesero se dispone a salir por algún remedio contra ratones, pero mi amiga grita:

—¡Nada de eso! ¿Acaso no es este un restaurante natural? ¡Cómo van a matar a este animalito con venenos químicos!

Empieza una larga discusión. Se habla de un gato, y alguien comenta que sería un espectáculo horrible. La monja sugiere llamar a los bomberos y le preguntan si cree que estamos en Nueva York. Una voz plantea dispararle al bicho, y todos protestamos.

—Además —agrega el *maître*— no sería una muerte natural.

En ese momento oímos un golpe seco: la cocinera gorda acaba de descerrajarle un escobazo mortal a la rata, y esta yace despanzurrada con el hocico abierto y la lengua afuera. El problema ha sido liquidado, pero todos quedamos espantados con la solución.

—¿Qué pasa? —pregunta la horripilante cocinera, mientras coge la rata por la cola y la tira a la caneca—. ¿Acaso no les parece de lo más natural matar a una rata de un escobazo?

Antes de que nos repongamos, va a la cocina y regresa con un plato:

—¿Quién pidió hamburguesas de soya?

Segundo ejemplo.

Hace años, cuando *El Tiempo* funcionaba en la Avenida Jiménez, sus empleados buscábamos restaurantes buenos, bonitos y baratos. Cierto día, Jaime Paredes Pardo, director de *Lecturas Dominicales* y dueño de un delicioso humor payanejo, me confió que había descubierto un «sitiazazo» para almorzar.

—Es un restaurante suizo estupendo, no muy caro, tranquilo y de higiene impecable, como buen suizo —explicó.

Almorzamos varias veces allí y siempre nos fue bien. Pero un día, mientras despachábamos una *fondue* de queso, descubrimos que desde las vigas altas nos observaban dos ratas, ansiosas de bajar a compartir con nosotros la densa masa amarillenta.

Reaccioné como un hombre. Es decir, pegué carrera, con Jaime detrás pidiéndome que me calmara, que no fuera cobarde. Cuando al fin me detuve en un semáforo, Paredes quiso restar importancia al asunto. Indignado, le exigí que no defendiera semejante cucho infestado de faras al que, además, recomendaba como paradigma de higiene.

A lo cual repuso, como último recurso:

—Es que no te imaginás lo aseadas que son las ratas suizas…

Tercer ejemplo.

Acudo en Madrid con un grupo de amigos españoles a un restaurante peruano. Ya está servido el ají de gallina cuando los comensales vemos salir de la cocina un ratón que huye hacia la puerta y se pierde calle abajo. Parálisis total. Mudez colectiva. El dueño procura hacer un chiste y pide que comamos tranquilos, que era un ratoncito de nada y, de todos modos, ya se marchó.

Y uno de mis amigos, incorporándose para largarse, le dice:

—No me preocupa que usted tenga ratones en su restaurante, señor. Lo que me desilusiona es que salgan a almorzar a otra parte.

Es por eso que cada vez que una rata aspira a compartir mi comida en un restaurante huyo como un cobarde.

Grandes disculpas chimbas

No se sabe quiénes gozaron más con las frases de profesores cuchillas que publiqué en esta columna, si los maestros o sus víctimas, los estudiantes. Era, como los lectores postreros recordarán, una antología de sentencias sarcásticas con las que los profesores reprendían o anunciaban tiempos borrascosos a sus discípulos. Contento, pero quizás un poquito alarmado con su papel de malos de la película, un grupo de profesores decidió conceder mayor protagonismo a los estudiantes.

El resultado es una recopilación de grandes disculpas chimbas o cepillazos ofrecidos por alumnos de entre 17 y 22 años para no hacer tareas, ausentarse de clase, faltar a un examen, justificar una distracción o rogar por el aplazamiento de un fogueo. Fueron recogidas por matriculados de la Fundación Universitaria Luis Amigó, de Medellín, bajo la coordinación del profesor Juan Luis Ángel. Agradezco su ayuda, y si no publico más excusas es porque a una parte de su envío le cayó un virus y, al intentar eliminarlo, se borraron las respuestas. Lo siento.

Y la anterior puede considerarse como la primera disculpa chimba.

- No pude preparar la lección porque ayer se murió la abuelita de mi mejor amigo.
- ¿Que no contesté a lista? Pero, ¿por qué empezó tan temprano? En mi reloj faltan cinco…
- ¡Usted no dijo que iba a haber examen!
- ¿…y es para entregar?
- ¡Ah! ¿Era para hoy?
- ¡No entendimos nada, profe!
- ¿Vamos a copiar todo eso?
- Fue que se me dañó la impresora.
- Profe: ¿usted es casado?
- Pues, o sea, ¿cómo le explico…?
- Hoy es Día del Periodista, no pensé que habría examen (*alumno de Comunicación Social*)
- Doctor, por ahí están diciendo que no hay clase…
- Ya vengo, voy al baño.
- ¿Usted dónde más da clases?
- Palabra que me lo leí tres veces y no entendí nada.
- ¿Cómo es su metodología, doctora?
- Profe, me voy un poquito antes porque empecé a trabajar.
- ¡¿Todo?!
- ¿Ya va pa' clase? ¿Tan temprano?
- ¡Pero es que hay que leerlo por ahí tres o cuatro veces!
- ¿Usted otra vez por aquí, profe?
- El documento no estaba en la fotocopiadora, le prometo.
- ¿Eso también entra en el examen?
- ¿Falta mucho?

- ¡Que sea fácil, pues...!
- Profe: sinceramente... no estudié.
- Dejen hablar al profe para que salgamos temprano...
- ¡Qué clase tan buena la suya, doctora!
- Yo no puedo perder esta materia, piense que participé mucho en clase.
- ¿Que qué?
- Profe, ¿y eso cómo se escribe?.
- Aló, sí, mi amor, estoy en clase. Perdón, profe, ya voy a apagarlo.
- ¡Aaahhhhh! ¡Ahora sí entiendo!
- Me cambié de grupo. Por eso fue.
- ¡Ay, profe! ¿Se motiló?
- ¡Esa camisa le luce mucho!
- El libro no estaba en la biblioteca, pregunte y verá.
- ¿Cierto que yo no tengo falta?
- Pero no puede ser... yo siempre vine a clase...
- ¿Y eso sí está en el documento?
- Sacaron el libro de la biblioteca y no hay más, dígame qué puedo hacer...
- ¡Es que me pusieron a leer como sesenta páginas!
- ¡Nooo! ¡Ese día tenemos otro examen!
- ¡Pero si yo sabía el tema!
- No sea así, vea que si no gano esta no me gradúo...
- Ese libro es muy caro, por favor...
- ¡Yo sí se lo entregué!
- Profe, ¿y eso como para qué?
- Es que estaba haciendo una llamada urgente.

- Yo sí conseguí el documento, pero es que empecé a leerlo y me aburrí.
- ¿Hoy, que es viernes, no podemos salir más tempranito?
- ¡No me diga! ¿Esto es calificable?
- ¡Negociemos!
- Es que mi papá estaba enfermo.
- Profe, me tomé la molestia de hacer este trabajo.
- ¡Tíranos suave!
- ¿Para sacar cinco hay que tenerlas todas buenas?
- Yo sí lo hice, pero se me olvidó.
- ¡No, doctora, eso no es justo!
- ¡Es que tenemos mucho para leer…!
- Perdóneme, pero no.
- Perdóneme, pero sí.

Un nuevo amanecer y cómo traducirlo

En los congresos anuales de la Liga de Fanáticos del «Postre de Notas» siempre hay alguien que me pregunta: «¿No considera absurdo pretender ser al mismo tiempo severo periodista de investigación, vehemente comentarista político y gracioso columnista de humor?».

Yo tenía una respuesta estándar para quienes veían en esta multiplicidad un defecto, y es que don Francisco de Quevedo escribió con la misma mano elevados poemas religiosos, tiernos sonetos de amor y groseros poemas escatológicos. «Modestamente, yo procuro imitarlo, y eso que omito otras cosas que también hago con la misma mano».

Por desgracia, en estos tiempos infames poco leen a Quevedo, así que no entendían la comparación. Hace poco, empero, encontré la referencia perfecta. Se llama Thermomix, una especie de ayudante de cocina atómico que es la actual sensación en Europa y Estados Unidos y que llegará a Colombia tarde o temprano.

«Mágica», dijo, encaprichada, mi mujer. Mágica y carísima, pues tuve que extender una hipoteca de segundo grado para pagar el aparato.

Cuando estudiábamos si se justificaba endeudarse a quince años para adquirirla, visité a Víctor M., buen amigo mío cuyo hogar es feliz propietario de la maquinita. Quería saber su opinión, a escondidas de mi mujer. Víctor M. tomó mis manos entre las suyas, clavó en mis ojos su pupila azul y, cuando pensé que me iba a decir «poesía eres tú», musitó, temblando de emoción:

—Daniel: la Thermomix es un nuevo amanecer.

Yo, que todos los días amanezco a comprar pan, recoger el periódico, preparar desayuno y sacar la perra para que alivie sus apremios, en lo que menos interesado estaba era en otro amanecer. Pero él me explicó por qué adora el auxiliar culinario:

—Invertí dinerales en mantener entretenida a mi mujer —me dijo Víctor M.—: televisión mega, equipo de sonido de catorce altavoces, lector de DVD cuadrafónico, radio de ocho bandas, cámara de video, celular con internet, computador portátil, agenda electrónica, Tamagochi. Todo efímero y en vano. Lo único que la tiene arrobada es la Thermomix. Desde que ese invento reina en nuestra cocina, ella no sale de ahí y yo ya puedo leer, oír discos, ver mis programas favoritos, echar siesta. Ha sido un nuevo amanecer.

Solo por esta idea liberadora compré el prodigio. ¿Cómo decirles en qué consiste? Me faltan palabras. Se trata de una especie de licuadora-batidora-tostadora montada sobre la base de un cohete Saturno; el vaso es de una rara aleación metálica (bromuro férrico, nitrato de zinc y ni trato de explicar más, pues es pura química atómica); el poderoso motor ha sostenido en el aire durante 37 minutos una avioneta con nueve pasajeros y una azafata (no muy gruesa, eso sí); y el tablero de mandos es semejante al de la central nuclear de Chernobyl.

En el interior del vaso se agazapan unas aspas feroces dispuestas, según lo exija el amo, a rallar los alimentos, molerlos, batirlos, licuarlos, triturarlos, pulverizarlos o desaparecerlos de la faz de la Tierra. En la parte inferior, kilovatios suficientes para alumbrar una ciudad mediana (Honda, digamos, o Caracas) y entibiar líquidos, calentarlos, pringarlos, hacerlos hervir, bullir o evaporarse. Si se le imparte la orden opuesta, los enfría, congela o inicia una nueva Edad de Hielo.

La Thermomix prepara caldos o helados, purés o ponqués, harinas o salsas, estofado de carne o mojicones: lo que uno quiera. Y todo con el mismo equipo. Como Quevedo o como yo. Con algunos aditamentos también hornea pizza y paella. Además trae incorporado un traductor electrónico que convierte las instrucciones inglesas en naco de español. Sobre este tema volveré más adelante, porque vale la pena. En suma, la Thermomix es genial pero, lógicamente, hay que ir poco a poco: los médicos no operan corazón abierto desde el primer semestre de estudios, ni mi mujer es capaz de preparar todavía las 2.300 deliciosas recetas que «regalan» con la Thermomix.

Por ahora enfrenta la etapa de las sopas. Todo sopas y solo sopas. De lechuga, de ternera a la llanera, de perro caliente, de fresa, de ariquipe, de café con leche. Hace poco logró la deconstrucción de la pasta, cuando preparó sopa de lasaña.

—Está empezando, ya aprenderá otras cosas —me consoló ayer Víctor M.—. El período de las sopas tarda unos cuatro o cinco años; es cuestión de paciencia.

En esas estoy. Soportando la horrible noche de la sopa, como una Mafalda cincuentona, y esperando el nuevo amanecer que promete Thermomix.

Pero está, además, el problema de la traducción. La Thermomix sirve para mil cosas, pero, como comenté, mi mujer por ahora solo la usa para una: volver sopa cuanto se acerque a menos de tres metros. A fin de introducir un mínimo de variedad en nuestras comidas, me presenté el otro día en casa con un aditamento que permite preparar pizza, pan o paella en la Thermomix.

Se llama Euro Kalac y fue fabricado en Alemania, según parece, por TUV Product Service. Mi mujer agradeció el detalle y yo empecé a soñar con alimentos sólidos. Vana ilusión. Al poco rato me extendió el folleto de instrucciones para que yo ajustara la cacerola de pizza a la máquina principal.

Me sumergí así en el mundo del horror lingüístico. Era un plegable de insultante incoherencia, un atentado contra la gramática y la sindéresis. He conocido en mi vida traducciones excelentes, buenas y malas. Pero ninguna como esta. Parece realizada en avanzado estado de embriaguez por un esquimal loco que no hablara ninguna lengua occidental.

Juro que lo que copiaré más adelante es verdad. No he inventado nada. Me faltaría imaginación para emular con semejante despropósito.

A la olla denomina «pote», como si fuera un gordito bogotano; y de allí en adelante se dedica a traducir el folleto con ayuda del azar y la ignorancia, sin rebajarse a usar el diccionario. He aquí las instrucciones iniciales:

«*Primer lugar el pote del condimento (sic) en el cuerpo. Después de ponga el pote del rey (¿?) en el cuerpo.*

Compruebe por favor si cualesquiera sacudaren (sic) o existe la cuesta (¿?).

No electrify el cuerpo sin ningún pote en él.»

Una vez explicado lo anterior —sea ello lo que fuere— llega la etapa de cocción. Es clave entonces atender este consejo:

«*Durante usar la voluntad b del indicador por intervalos a partir del tiempo al tiempo. No se preocupe de él para él es solamente un fenómeno normal.*

«*Si la sopa (¡otra vez la sopa!) dentro del pote salpica después de ser calentada durante usar, dé vuelta por favor al interrupeor del temperatura-ajuste.*»

Aunque no lo crean ustedes, con algunas frases más de este tenor el folleto considera que cumplió su misión de enseñar a cocinar. Ahora pasa a lo que debe hacerse después.

«*No utilice por favor porque las espadas del metal o los cuchillos la superficie del pote se hace de resina de Teflon. Si se rasguña, puesto corromperá gradualmente (¿?)*».

No es menos importante la segunda advertencia:

«*No utilice al lado de la sustancia thermolabile, tal como mantel hecho de resina, de la estera y de la alfombra de la paja*», etc.

En este punto no sabíamos si el aparato se disponía a elaborar sopa de tapete o si asesoraba la decoración de la casa. Enseguida prosiguió:

«*Al usar el plato frotante, preste por favor la atención cercana especialmente al levantar encima de la cubierta para evitar reganar por el vapor.*» Así que ya lo saben. Siguen varias precauciones indispensables: «*No utilice en éstos el lugar en-numerado abajo: lugar inestable, palce de la cuesta (¿?)...*»

Hay más prohibiciones ininteligibles, una de ellas antológica: «*Tenga cuidado de evitar de escalar. Becasue* (sic) *el pote, manija, placa, tazón de fuerte reflejo llegará a ser caliente después de ser electrified* (sic). *No lo mueva tan* (sic) *hasta que se ha refrescado abajo* (¡¡sic!!)».

Lo del refresco abajo me asustó un poco.

Pero aún faltaban las instrucciones de limpieza: «*Después de usar el pote que cocina, usted mejoraría colada él cuanto antes. Si no el color del pote cambiará y la suciedad y el residuo testarudos unirán a la srperficie* (sic) *del pote firmemente, que puede quitar apenas*».

Sobra decir que nunca pudimos preparar pizza, pan ni paella en el pote. Reflexionando, he pensado que la traducción fue hecha por un programa informático «inteligente», lo cual garantiza que los intérpretes de carne y hueso tendrán trabajo asegurado durante muchos años.

Ahora bien: si fue un ser vivo, un ente humano, el que perpetró ese esperpento, debió de ser que su cerebro metió dentro de pote y plato frotante testarudo electrified sacudaren, sacudaren, sacudaren hasta papillar masa.

Pan para pan pan pan

El hombre mata lo que más ama. Y menosprecia lo que más le sirve. Y prohíbe lo que más come.

Tanto tiempo viviendo del pan, y resulta que ya no, que ahora hay que sacarle el cuerpo. Desde el paraíso terrenal estaba su humilde presencia en el mantel de la humanidad: «Ganarás el pan con el sudor de la frente».

Con esas palabras, Dios habló bien del pan y mal del sudor. Lo bueno era comer. Lo malo era tener que trabajar para conseguirlo.

Hace veinte siglos se seguía insistiendo en las virtudes del pan. Cuando Cristo quiso hacer un milagro que dejara a la gente boquiabierta, multiplicó los peces y los panes. Habría podido escoger cualquier otro alimento —para eso era hijo de Dios— pero, fíjense, optó por el pan. Más tarde nos enseñó el «Padre nuestro» y volvió a hablar de él: «El pan nuestro de cada día». De haberlo querido, habría metido el queso, las chuletas o una buena ensalada, que todo eso se comía ya en Tierra Santa. Pues no. Vuelta al pan.

Y en la última cena, más de lo mismo: pan y vino. Los alimentos más sencillos. Pero los más saludables.

Desde entonces —hablo de miles de años— el pan ha sido parte fundamental de la vida del hombre. Hasta el punto de que se habla de él como un símbolo: pan y circo, pan y trabajo, a buena hambre no hay mal pan, al mejor panadero se le quema el pan, etc.

Pues bien, pese a los avales bíblicos e históricos, detecto una feroz guerra contra el pan. Tal vez ustedes no percaten, porque no leen a los autores europeos decimonónicos, a los escritores modernos ni a los promotores de dietas. Pero yo sí. Por eso puedo citarles una breve antología de panfóbicos.

El primero que empezó con el temita, me parece, fue Balzac, el novelista francés. En un tratado de la buena mesa escrito hace casi un siglo, don Honorato distingue entre el gastrónomo y el glotón. «El buen gastrónomo —asegura— nunca se alimenta de pan tierno».

Ahí está. Era la primera puñalada.

En los años sesenta recogió la antorcha el doctor Tarnower, autor de la famosa dieta Scarsdale. «No se me ocurre un peor hábito alimenticio —escribió el famoso médico— que el de atiborrarse de pan con mantequilla antes de que llegue la comida».

Segundo embate.

Y ahora, pasados más de tres decenios, un autor de moda, el español Fernando Schwartz, consigna sus consejos para las mujeres que rondan los dorados cincuenta años y postula en uno de sus mandamientos: «Olvídese del pan para siempre».

Fulminante. Sin apelaciones.

Ni más faltaba que a estas horas de la vida, cuando ni siquiera hemos logrado que toda la población coma cada noche un mendrugo, nos vengan a decir que hay que olvidarse del pan. ¿Y comer entonces qué? ¿Bisté pimienta? ¿Deditos de queso?

Yo he sido panófilo de tiempo completo, como puedo demostrarlo subiéndome a una balanza o exhibiendo una foto en vestido de baño. Por eso empiezo ya mismo una campaña en defensa del pan en todas sus formas y en todos sus compuestos, de trigo y de maíz, de cebada y de yuca.

¡Vengan y unamos fuerzas los amantes de la arepa, la cachapa, el calao, la tostada, el *croissant*, el pandeyuca, el mojicón, el roscón, la chicharrona, el *pretzel*, el pandebono, la almojábana, la pita, la garulla, el *donut*, el taco, la *crèpe*, el *pancake*, el buñuelo, el *panetonne*, la *baguette*, la barra, el pan de molde, el pan de plátano, el integral, el *waffer*, la oblea, la tortilla mexicana, el *khobz*, el bollo 'e yuca y el envuelto de mazorca!

Separados, no somos más que boronas. Juntos, formaremos una mogolla invencible y gordísima.

Defensa de las pecas

Lo diré una sola vez, pero en voz muy alta:

¡¡¡QUERIDAS SEÑORAS:
NO PERMITAN QUE LES BLANQUEEN LAS PECAS!!!

En la moda arrolladora que pretende uniformar la belleza femenina sometiendo a los rigores del bisturí toda imperfección física, e inventando imperfecciones donde no las hay, la última batalla se libra contra las pecas.

Hasta hace un tiempo, las pecas constituían un símbolo sexual. Aun los refranes lo proclamaban: «Mujer pecosa, mujer sabrosa». Grandes poetas, como Quevedo y Villegas (uno solo), se encargaron de encomiar a las pecosas al sugerir que ellas eran objeto de especial tentación. Insigne mamagallista, don Francisco dedicó tronco de soneto a una mujer pecosa con el ánimo de vituperarla, no de enaltecerla; de reprocharla, no de loarla (¿sí ven la clase de verbos que estoy usando desde que pertenezco a la Academia de la Lengua? Encomiar, vituperar, enaltecer, reprochar, loar... Voy que me las pelo para presidente de la Real Española).

Lo que ocurre es que, como suele acaecer, el vilipendio es padre espurio del halago (acaecer, vilipendio, espurio, halago: no entiendo cómo me saltaron por manteca en el Congreso de la Lengua Española de Rosario).

Esto fue lo que escribió Quevedo sobre las damas adornadas por tenues máculas:

> *Pecosa en las costumbres y en la cara,*
> *podéis entre los jaspes ser hermosa,*
> *si es que sois salpicada y no pecosa,*
> *y todo un sarampión, si se repara.*

Escribió más, pero cada quien tendrá que leerlo por su cuenta. Aquí nos toca ahorrar espacio. Olvidemos lo del sarampión, que ya es volearse, y entendamos que cuando Quevedo habla de reparar no se refiere a arreglar, componer o restaurar, sino a caer en la cuenta, notar, percibir. No es, pues, una invitación a someterse a las modernas técnicas que «evaporan las pecas por medio de un haz de luz que selecciona el color marrón de las manchitas y las ataca sin afectar los contornos», según promete el folleto.

Quiero recalcar el primer verso: «Pecosa en las costumbres y en la cara». Son ocho palabras que disparan la tentación de indagar por las deliciosas costumbres particulares de las mujeres retratadas. Ahí está el encanto de la pecosa. En la posible traslación de sus adorables manchas cutáneas a sus prometedores pecadillos de conducta. Y sea el punto de observar la raíz común de las palabras «pecas» y «pecado». ¿Fue el pecado original una enorme peca? ¿Son más propensas al pecado las pecosas? Les juro que me están dando ganas de descubrirlo.

Si no paramos ya mismo la arremetida de los intereses comerciales de la industria cosmética contra las pecas, ellas podrían correr la suerte de los lunares. Muchos lectores recordarán que, hasta no hace mucho, los lunares eran inquietante signo de picardía y sensualidad.

Entiéndanme: no hablo de verrugas, golondrinos, pápulas, carúnculas, lobanillos, chichaguyes, orzuelos, lupias, bubones, chichones, postemas, forúnculos, barros, espinillas, pústulas, carnosidades peludas ni excrecencias supuratorias. Hablo de lunares. De lunarcitos. No vengan ahora a decirme que el Hombre Elefante era lunarejo. Decía que ellos son minúsculos y oscuros promontorios epidérmicos que invitan a la admiración y resaltan la belleza. El del labio inferior de Marilyn Monroe. El del cachete de Madame Pompadour. El del mentón de Liz Taylor.

Pues bien: ya no hay señoras con lunares. Fíjense y verán. A todas les han pulverizado, cortado o tostado los lunares. No soy oncólogo ni dermatólogo, pero mis amigos oncólogos y dermatólogos aseguran que algunos lunares, muy pocos, resultan malignos; la mayoría son inocuos. Sin embargo, las señoras que se someten a lunarectomía o granosucción (regalo ambas palabras a la Academia de Medicina con todo cariño) no lo hacen por miedo a la enfermedad, sino por pánico a la feúra (este vocablo lo lego a la Academia de Belleza Lulú). Así es: los industriales de la belleza han logrado sembrar la falsa idea de que los lunares afean.

Impidamos que ocurra igual con las pecas. Nada más emocionante que un cuello constelado de manchitas. Nada más perturbador que ese pecoso preámbulo que se extiende, cual dombo, sobre unos senos túrgidos. Nada más enardecedor que una espalda salpicada de manchitas marrón (anoten y aprendan, estudiantes de español: constelado, dombo, túrgidos, enardecedor). Y no sigo bajando, porque podría llegar al lugar donde querría quedarme.

Prefiero resumir todo en dos palabras sencillas, de las que conocen hasta los miembros de la Academia de Ingeniería Sanitaria: «Pecas sí». A las señoras pecosas animo para que hagan respetar sus manchas. Y a las de blanquecina tez las invito a que me llamen, y con mucho gusto Pacheco y yo les haremos una donación de pecas nuestras.

Tiratizas

Leo en mi biblia habitual (el diario *Hoy*, único vespertino que sale por la mañana) que un profesor de Usme fue acusado por sus alumnos de meter la letra con sangre. Las estrategias del profesor Pablo Emilio Lasso son «los regaños, gritos y golpes en la cabeza con las puntas de los dedos o la antena de un radio».

Que Dios y doña María Montessori me perdonen, pero no veo que las acusaciones configuren un caso de pedagogía siniestra.

Comparado con los preceptores ingleses, que castigaban con vara; los franceses, que asestaban reglazos; los tártaros, que decapitaban al estudiante; o los italianos, que llegaban al extremo de despeinar al alumno (no hay mayor ofensa para un italiano), los castigos del «profe» de Usme son cantos patrióticos. Prefiero, claro, al educador que no necesita de regaños ni sanciones para despertar apasionado interés por su materia. Un alumno motivado no necesitará que le jalen las orejas para estudiar ni que le griten para poner atención.

Pero no todos los alumnos son motivables y siempre habrá por ahí algunos díscolos dispuestos a convertir la clase en una olla de grillos o en circo de payasos para hacer reír a sus compañeros a costillas del maestro. Lo digo porque —¡ay!— yo fui uno de esos grillos, de esos payasos. Años después, convertido en profesor, cada vez que topo con un alumno parecido a lo que yo era me dan ganas aterradoras de someterlo a pequeñas medidas disciplinarias como sacarle los ojos, partirle la cabeza de un hachazo o arrancarle el corazón y tirárselo a los gatos.

Por eso entiendo que un pedagogo como el profesor Lasso reparta de vez en cuando algún golpe con antena de radio barato. Dado el sueldo que les pagan a los educadores, es difícil pedirles que compren lanzamisiles pupitrecráneo, que sería el arma recomendable contra alumnos como ese que —¡ay!— fui yo durante mis años escolares.

Analicemos el caso del profesor de Usme. ¿Cuál dicen que fue su delito? «Regaños». Bueno, ¿y cómo quieren ustedes que un profesor corrija despelotes y tertulias como las que —¡ay!— formaba yo? ¿Con estampitas de Santa Teresita de Jesús? Al fallar las palabras bonitas, el *óyeme-querido-alumno-mío*, el *no-sean-malos-muchachos*, regañar se vuelve inevitable para educar al individuo. «Gritos». Cuando treinta carajitos hablan, juegan y retozan como —¡ay!— lo hacía yo, el colegio debe suministrar al profesor un altavoz Hipertone-829 de pilas (2.170 dólares cada uno) o bien permitirle que grite. «Golpes con la punta de los dedos». ¿Tienen idea de cómo se llaman las puntas de los dedos? Yemas. ¿Y saben por qué? Pues porque son frágiles como un huevo. Salvo que se trate del practicante de algún deporte marcial oriental, con las yemas de los dedos no se hiere a nadie. Primero se lastiman las yemas que los cráneos. Aconsejo al profesor Lasso protegerse con guantes de hierro.

Así como pienso que el estudiante puede defenderse ante los exámenes arteros, creo que el profesor debe hacerlo ante los alumnos indisciplinados. Para evitar que el calibre de las armas aumente, y pasemos de antena de radio a parabólica de televisión, acordemos los proyectiles tolerables.

Don Guillermo Sarmiento, mi inolvidable profesor de geografía, fue famoso lanzador de tizas. Daba gusto verlo imponer el orden en un salón: tres tizazos infalibles garantizaban cincuenta minutos de paz.

Ya que les molesta tanto a los delicaditos alumnos que los acaricien con las yemas o los rocen con una antena, acepten entonces la tiza, la más noble y antigua arma de combate en clase. Las facultades pedagógicas dictarían cátedra de lanzamiento de tiza, y habría un gran concurso nacional de tiratizas con el nombre de don Memo Sarmiento.

Les aseguro que solo así, marcados con un par de lunares blancos en el cogote y la camisa, entrarán por el aro esos alumnos impertinentes, chistosos, inaguantables, malos estudiantes, harto burros e intransigentes como era —¡ay!— yo.

Lo que pasó entre Amor y Amistad

Hace años uno de mis hijos ganó un cachorro de pastor alemán en una fiesta infantil. Al verlo llegar con el perro en brazos sentencié que el animal tendría que irse. Era un apartamento pequeño y no había lugar para animales.

—Puede quedarse ocho días, mientras le consiguen un nuevo hogar —concedí—. Después, si el perro está aquí, yo me voy.

Pero mis hijos le cogieron cariño, y al noveno día no me fui y accedí a que el animal ingresara a la familia. Era un cachorro noble y juguetón, un verdadero amor. Tanto, que ellos mismos lo bautizaron así: Amor.

Aún Amor no había cumplido dos meses cuando la gata de la vecina dio a luz. Mi mujer ayudó en el parto y, como gesto de aprecio, la vecina le regaló una de las crías. Aunque mi mujer alegó que era un compromiso de amistad, anuncié que era imposible tener perro y gata y di a la gata ocho días para marcharse, o si no me iría yo.

Al noveno día seguíamos allí el perro, la gata, mi mujer, mis hijos y yo, completamente desautorizado. Por tratarse de un compromiso entre amigas, la gata recibió el nombre de Amistad.

Antes de capitular, yo pronostiqué que, como la naturaleza es implacable, apenas crecieran un poco perro y gata se iban a destrozar a mordiscos y arañazos.

—Cuando eso pase —les advertí—, yo me voy.

Esta vez me desautorizaron los animales. Amor y Amistad parecían hermanos. Jugaban juntos, retozaban y hasta se bañaban el uno al otro con dulces lambetazos. Yo expliqué que, por convivir desde tan pequeños, no se habían enterado de que pertenecían a especies animales distintas.

Mis hijos apostaban a que lo sabían, pero el compañerismo superaba la diferencia de genes. Mi mujer atribuía tanto cariño a que les daba comida especialmente comprada para cada uno: bolas de pienso para Amor y galleticas con sabor a hígado para Amistad.

Sea por lo que fuere, era una gloria ver a los dos enemigos ancestrales durmiendo juntos.

—Un día —comenté— voy a invitar a Uribe Vélez y a Tirofijo para que vean este espectáculo y entiendan que, con buena voluntad, hasta el perro y el gato pueden vivir en armonía.

Menos mal no alcancé a invitarlos, pues poco después oímos una gazapera en la cocina. Al entrar la familia al campo de batalla vimos que la comida de la gata estaba regada por el suelo, que Amor le había arrancado la cola a Amistad de una dentellada y que Amistad le había sacado medio ojo a Amor de un arañazo. La gata estaba encaramada en una mesa desde donde soltaba miradas de fuego y el perro intentaba saltar hasta allí para rematarla.

En ese instante mi mujer recordó que había olvidado comprar la comida de Amor y dedujimos que este había intentado asaltar la ración de galletas de Amistad. Devolvimos perro y gata a sus lugares de origen y, una vez recobrada la calma, pedí a mi mujer y mis hijos que analizaran el incidente.

—Ocurrió que Amor y Amistad no son compatibles— dijo uno de mis hijos.

—Ocurrió que Amor y Amistad sí son compatibles, pero solo si se alimentan por separado— dijo otro.

—Ocurrió que Amor es más poderoso que Amistad— opinó el tercero.

—Ocurrió que, a la larga, Amor y Amistad no existen— aventuró, escéptico, el más pequeño, mirando el apartamento vacío.

—Ocurrió —dijo mi mujer— que cuando Amistad interfiere con Amor, Amor saca corriendo a Amistad.

Y yo, que no soy filósofo ni moralista sino observador de la naturaleza, ofrecí una versión más sencilla:

—Ocurre que los perros y los gatos siempre acaban peleando.

Ahora bien: que cada lector saque la conclusión que le plazca sobre Amor y Amistad.

¡Quite la mano de ahí!

Escribe una lectora de esta sección: «Tengo siete meses notorios de embarazo. ¿Por qué no dedica unas líneas a criticar a esas personas que con toda frescura le acarician la barriga a la mujer que espera bebé, como si fuera una forma aceptable de saludo?».

Claro que las voy a dedicar. Y agregaré algo más: una diatriba contra los que palmean la cabeza de los calvos.

Miren qué casualidad: dos fotos recientes avalan lo que nos indigna a la señora y a mí.

En la portada de *Cromos* aparece el cantante de rock Juanes, que tiene cara de ser un tipo muy chirriado; al lado suyo está la bella Karen, su novia, que me hace acordar de Manuela González, única mujer en el mundo a quien creo capaz de enseñarme un paso de salsa que yo no sepa. Ahora bien: Karen está embarazada y bajo el vestido blanco se perfila un bulto sobre el cual, ¿ya adivinaron?, pósase la mano del simpático Juanes. Exactamente lo que describe mi corresponsal.

Foto número dos, tomada por un reportero gráfico de AP en Qatar, y publicada en miles de diarios alrededor del mundo.

Puede verse al señor George W. C. Bush rodeado de soldados estadounidenses durante su visita a lo que queda de Irak. Uno de los reclutas tiene el cráneo pelado y en ese sitio exacto, ¿lo adivinaron?, despliégase la mano extendida de Bush.

¿Qué tiene una cabeza calva que atrae tanto a los bobos? ¿Qué tiene una barriga preñada que atrae tanto a los señores, incluso novios y maridos?

—¡Ay! —me comentó una vez una amiga, hablando de la cabeza despoblada—. ¡Es que es tan rico tocarla!

Supongo que debe de serlo. Por aquello de la redondez. La redondez atrae. Atrajo a Atlas, a Colón, al Bosco. Sin ella no existirían los planetas, la rueda, el huevo, ni —me aterra solo pensarlo— el balón de fútbol. Concedo, pues, que lo esférico seduce y que, por tanto, un peri-cráneo yermo o un vientre sembrado puedan fascinar.

Lo que no acepto, en mi calidad de calvo, es que pueda pasarse de la fascinación al toque-toque sin permiso del propietario. No se imaginan cómo me atraen a mí las redondeces de mis vecinas, mis amigas, las señoras de mis amigos, las muchachas que veo en la calle y mis compañeras de trabajo. Algunas tienen un pecho tan redondo que dan ganas de cobrar con él un córner. Otras exhiben 180 grados perfectos de lo que las damas colombianas denominan púdicamente *derrière* y los españoles groseros llamamos «culo».

Sin embargo, jamás me he dejado arrastrar por la tentación de «ceñir un talle o acariciar un seno», como decía Barba Jacob —que no sé qué talles ciñó o a qué senos les metió mano—, simplemente con el pretexto de que «¡Ay, es que es tan rico tocarlos!».

No es que no sienta en mis venas el hormonal impulso de la palmadita, la caricia, el apretón, el pellizco. Claro que sí. Pero considero que sería una indecorosa violación de la intimidad y el pudor de la señora arrojarme sobre ella a palparla con estos dedos inquietos que Dios me dio.

Igual ocurre y pasa con las damas embarazadas. Karen podrá ser la novia de Juanes —y el chino, feliz fruto de los dos—, pero no me parece bien que el roquero le ponga la mano en el noble bulto frente a la prensa. Una pareja tiende a ponerse la mano en diversos bultos, y eso está bien. Pero en privado.

En cuanto al recluta gringo, podrá consolarse pensando que a otros seres humanos Bush les ha hecho cosas peores. Sin embargo, esa palmadita sigue siendo un irrespeto intolerable.

Quiero advertir que, de ahora en adelante, no aceptaré mano alguna sobre mi cráneo desnudo, salvo autorización previa que conste por escrito.

La próxima vez que una señora se atreva a palparme la cabeza sin permiso, verán ustedes faldas levantadas, sostenes que vuelan y gritos de «¡Huy, qué pasó!». O, a lo mejor, de «¡¿Qué es esto tan rico!?».

Reiteradores silábicos

Hace un tiempo, Mario Vargas Llosa pronunció una conferencia en la que dijo: «Una humanidad sin novelas se parecería mucho a una comunidad de tartamudos y de afásicos, aquejada de tremendos problemas de comunicación».

Era una metáfora limpia y clara. Ahora, con retraso de cuatro años le están lloviendo cartas de entidades dedicadas a ayudar a los tartamudos. En ellas protestan por aquella vieja frase, e incluso algún firmante amenaza con quemar sus libros.

No me sorprende. Semejantes quejas entran en el mundo absurdo e hipócrita (o al menos ingenuo) de «lo políticamente correcto» (PC), que pretende escamotear la realidad fusilando el lenguaje.

Lo que me deja frío es un reciente artículo en que Vargas Llosa se declara poco menos que culpable por haber ofendido a los tartamudos, condena «aquella frase torpe» y casi justifica la hipersensibilidad de quienes alzan las espadas contra él. No pensé que un tipo tan liberal con una pluma tan independiente llegara a doblar la cerviz ante la peste de lo PC. Si este adalid de la libertad de escribir tira la toalla por una frase de calibre tan inofensivo, ¿qué ocurrirá con otras que podrían considerarse más picantes o más crudas?

En adelante, esperemos protestas airadas de organizaciones sectarias cada vez que uno diga o escriba expresiones como las siguientes:

- *«La justicia cojea pero llega»* (Protestarán los discapacitados)
- *«Cuesta un ojo de la cara»* (Los tuertos quemarán libros)
- *«Un gobierno sordo al clamor popular»* (¡Ahí vienen los disminuidos auditivos!)
- *«Lágrimas de cocodrilo»* (Se alborotan las ONG que defienden a los grandes saurios)
- *«Ese tipo es un lagarto»* (Se alborotan las ONG que defienden a los pequeños saurios)
- *«Ese tipo es un culazo»* (Indignación entre los proctólogos)
- *«Esa viejita está chocha»* (Indignación entre los ginecólogos)
- *«Ese tipo me cae gordo»* (Rabian las asociaciones de obesos)
- *«Es un flaco favor»* (Rabian las de desnutridos)
- *«Tomar el pelo»* (El gremio de peluqueros monta en cólera)
- *«Fulano es una joyita»* (Montan en cólera los gemólogos)
- *«Se rió en sus barbas»* (Los barberos advierten que no tolerarán más insultos)
- *«Métale muela»* (Los dentistas adoptarán dolorosas represalias)

- *«Loco de amor»* (Los psiquiatras entablarán demanda)
- *«Mala yerba nunca muere»* (Atacan los ecologistas; la DEA los apoya)
- *«Un mar de babas»* (La Armada Nacional se acuartela)
- *«A lo hecho, pecho»* (La Asociación Internacional de Lactantes jura venganza)
- *«Gocé como un enano»* (La Fundación de Acondroplasia emite un furioso comunicado)
- *«Soldado avisado no muere en guerra»* (Retumban simultáneamente la Federación de Soldadura Autógena y el Ejército Nacional)
- *«No meta ahí las narices»* (Los otorrinolaringólogos en pie de guerra)
- *«En pie de guerra»* (Los podólogos exigen respeto)

Otras expresiones convocarán el odio de más de un gremio.

- *«Parar oreja»* suscitará protestas conjuntas de la Asociación contra la Disfunción Eréctil y la Fundación contra la Sordera.
- *«Patas de gallo»* obligará a cerrar filas a la Oficina Defensora de Ánades, el Club de Peatones y Asoavícola.
- *«Picar un ojo»* provocará el ataque conjunto de la Unión de Varilargueros y el gremio de oculistas.
- *«Pipiciego»* unirá en frente común a la Federación de Urólogos y la Liga de Invidentes.

+ «*Silencio mudo*», aquel horrible invento de don Miguel Antonio Caro en su soneto a la patria, ya no solo concentrará el odio de la lírica sino de las ligas contra la afasia.

Ciertos términos solo serán aceptables si se reescriben a tono con los tics de la corrección social e ideológica:

+ «*Compró una botella de ron y se metió tremenda cónyuge de animal cánido*»
+ «*Aceite de oliva que no ha tenido acceso carnal con varón ni mujer*»
+ «*Vendo tablones bisexuales*»

Toda mi simpatía, solidaridad y cariño a tartamudos, cojos, sordos, pipiciegos, mancos, desdentados, jorobados, gordos y flacos. Suscribo y apoyo cuantas campañas se lancen para combatir sus males. Pero intento impedir que siga penetrando uno tan corrosivo como los anteriores, que es la pérdida del sentido del humor y su suplantación por la ridiculez.

Lo digo aquí porque creo que el momento es calvo. Y sepan ustedes que al decir calvo no me considero ofendido.

Lágrimas de macho

Recientes estudios fisiológicos acaban de revelar algo que a muchos les causará sorpresa y a otros, indignación: los hombres contemporáneos lloran mucho más que los de antes. Eso asegura una investigación del profesor William Frey, quien, tras examinar numerosos casos, concluyó que los varones del siglo XXI somos bastante llorones.

Aun así, chillamos cuatro veces menos que las mujeres. La estadística es demoledora. En tiempos de conquistadores, piratas y vaqueros, la cosa era muy sencilla: los hombres no lloraban nunca. Los torturaban, y primero se dejaban sacar los ojos que escupir una lágrima por ellos. Si tenían que cortarles una pierna, solo pedían una botella de whisky para que el serrucho los encontrara medio borrachos, y dos pedazos de madera: uno, para morder mientras les amputaban la pierna, y el otro para fabricarse la nueva extremidad. Los más machos tallaban la pata en la misma madera que habían mordido. Las mujeres, entre tanto, plañían por la pierna cortada, por los ojos sacados y hasta por el pedazo de palo convertido en pata.

Cuatro veces más no es nada. ¿Se imaginan? En una familia promedio, la mamá llora de lunes a jueves, y el papá, los viernes. En una academia militar, por cuatro capitanas que berrean, chilla un coronel que parte el alma.

El dato del doctor Frey quiere decir dos cosas. Primero, que los hombres lloran más que antes, como queda dicho. Y, segundo, que las mujeres lloran menos, pues de lo contrario la proporción seguiría siendo de doscientos a uno, como en tiempos de El Cid y de Robin Hood. Se acerca el día en que lloraremos de igual a igual, y antes de poco tiempo la mamá estará diciendo a la niña:

—Deje de llorar como un macho, mija, que un brazo se le parte a cualquiera…

Repito que algunos considerarán esta nueva situación como un indicio más de los menguados tiempos que corren. A mí, en cambio, me encanta. Y es porque me confieso llorón. Pero llorón-llorón, de los que sollozan en los restaurantes si no tienen el postre que quieren, berrean en cine cuando Tom amenaza a Jerry, dan alaridos en la dentistería, se abrazan gemebundos con gente de luto en entierros desconocidos y berrean en las primeras comuniones. Y es que el buen llorón, como yo, no establece diferencias entre las ocasiones felices y las tristes, las alegrías y los dolores. Llora siempre y por cualquier razón. Porque gana. Porque pierde. Porque el hijo desaprueba el año. O porque lo pasa con excelentes notas. Porque la nieta disfrazada de hadita bailó bien en la sesión solemne, o porque bailó mal, o —muchísimo más— porque fue de las que rechazaron para bailar disfrazada de had… perdonen que no pueda terminar, pero es que, ay, me emocioné…

Si hay que señalar un pionero de la masculina lágrima en nuestro país, el honor corresponde a mi compadre Rafael Escalona, a quien admiro no solo por eso sino por sus inmortales cantos vallenatos. Él fue el primero en demostrar que los hombres posmodernos sí lloran. Así lo reconoce otro genio de la música vallenata, Adolfo Pacheco, en versos húmedos cuya sola evocación me obliga a sacar pañuelo:

> *Lo noto con Escalona,*
> *que siempre llora por nada:*
> *viejo zorro, se transforma*
> *con una simple mirada.*

Lo mejor es que Adolfo también se proclama llorón. Pero, menos valiente que Escalona, pretende disimularlo como un supuesto problema genético hereditario, consistente en que «los Pachecos lloran a las mujeres» y agrega con descaro: «¡Qué virtud o qué defecto lo que mi familia tiene!».

Ojo: estoy hablando de machos de verdad. Escalona se encaró, ametralladora en mano, con los enemigos que lo emboscaron cierta tarde, y Pacheco, desapercibido de armas, compartió jaula durante años con un puñado de diputados a la asamblea del Atlántico, que son aún más peligrosos.

No es cuestión, pues, de que falten hormonas al hombre contemporáneo. Sino de que le sobran lágrimas; las lágrimas acumuladas en el ADN masculino a lo largo de milenios. Gracias a Dios, ya podemos verterlas con desahogo propio de quinceañera. ¡Y que nadie se atreva a criticarnos por ello! Porque advierto de manera tajante que quien ose hacerlo se arrepentirá de sus palabras, pues seguramente ellas nos harán chillar hasta que él mismo se conmueva.

Avisos eróticos

Es famoso el cuento del marinero que llega a un puerto español tras seis meses de forzosa abstinencia y ve en el diario un aviso que dice: «Señora enseña el búlgaro». El hombre se baña, se peina, saca sus ahorros de debajo del colchón, va en busca de la prometedora dama, y regresa decepcionado al cabo de media hora.

—¿Qué pasó? —le pregunta sorprendido un compañero.

—Nada. Que era un idioma.

Debo decir que a veces me pasa lo mismo que al marinero cuando me detengo —por curiosidad, no por necesidad— en las abigarradas páginas de avisos sexuales que publica la prensa española. Hay allí un tesoro de posibilidades desconocidas para quien no domine el idioma de las ofertas íntimas: adjetivos que estimulan la imaginación, propuestas que dejan turulato a ignorantes como yo, atributos que deben de ser formidables pero que no alcanzo a precisar con el poco castellano que domino.

José Raventós, un publicista catalán que vivió en Colombia muchos años, se sorprendió tanto como yo al regresar a su patria y repasar la publicidad erótica. Encontró muchas señoras y señores que enseñaban mucho más que el búlgaro, y, de puro ocioso, recopiló, seleccionó, organizó y acaba de publicar un libro donde reproduce cientos de estos avisos. Lo subtituló, merecidamente, «La imaginación del oficio más antiguo del mundo». Su contenido es un homenaje, un canto, un himno a la imaginación de quienes practican estas artes a cambio de dinero y se ven obligados a disputar sus clientes en un mercado áspero y concurrido.

Pensando en los lectores colombianos, realicé una antología de la selección de Raventós. Es la que ofrezco enseguida para estimular el morbo, la inteligencia y la capacidad deductiva de mis compatriotas.

No resistí la tentación de anotar algunas glosas personales para beneficio del lector.

¿Es una jovencita lo que ud. quiere? Yo garantizo su inocencia. Usted la verá ruborizarse. Tel... (Primero: ¿quién es ese yo que garantiza inocencias? ¿El chulo que explota a la jovencita? Segundo: con la actividad sexual que tendrá esta muchacha, si el rubor persiste debe de ser sarampión).

Joven dotadísimo ofrece sexo a hombres. Atrévete. Tel... (Como dijo mi mujer al ver el clasificado: ¡qué desperdicio!).

60 formas de hacerte un francés. Tel... (Con la antipatía que hay por los franceses en Estados Unidos ahora, supongo que no osará anunciarse en Washington).

Depilándome me corté. ¿Me curas? Lorena. Tel... (Nunca tomé curso de primeros auxilios, pero no hay cirujano como el doctor Castro).

Colegiala virgen. Contactar a María. Tel... (Sí, virgen, cómo no... ¿Y no hay rebaja especial para varones castos?).

Déjese enjabonar por cuatro señoritas. Todo por 50 dólares. Tel... (Supongo que incluye aplicación de estropajo, rinse, champú y esponja. No es caro).

Yo soy un arbolito, ponme tu pajarito. Tel... (Hay que tener cuidado con estos: he visto lo que suelen hacer los pajaritos en los arbolitos).

Futbolista, alucinantes piernazas. Tel... (¿Aló? ¿Aló? ¿Está Tino?).

Dedos chinos para hacer el francés y el griego. Tel... (¿Aló? ¿Aló? ¿La ONU?).

Para ti, coprofagia. Tel... (Qué horror. Dan ganas de mandarlo a hacer lo que tanto le gusta, pero gratis...).

Caperucita busca lobo. Tel... (Me quedé esperando con verdadero pánico el anuncio de Blancanieves).

Sumiso pasivo de 45 años busca grupos de hombres morbosos y viriles. Soy complaciente, limpio y discreto. Tel... (Y además codiciosito, ¿no?).

Clases de kamasutra. Apartamento privado. Cándida. Tel... (Ha de ser un idioma raro, como el búlgaro).

Myriam, viudita ardiente e insaciable, busca caballero cariñoso. Tel... (Ya sabemos de qué murió el pobre marido).

Te lo hago por teléfono. Tel... (Imagino que, con un pequeño recargo, también trabaja internet).

Mónica: pequeñita, dulce y cariñosa. Tel... (Deme otra pista: ¿ladra?).

Labios carnosos... (... colágeno seguro).

Azafata de líneas aéreas de paso. Tel... (¿No las hay de trote? Son más rapiditas).

Olga. Tan refrescante como un helado y más tentadora que un batido. Tel… (¡Y uno a dieta!).

Conozca la pechuga de Lolita. 80 dólares. Tel… (Muy caro. ¿No nos presentará la rabadilla por 50?).

Dos maduras con griego. Tel… (¿Jacqueline Kennedy y cuál otra?).

Soy delgada y poca cosa, pero haciendo el amor me crezco. Ruth. Tel… (Otra basquetbolista famélica…).

Fetichismo. Zapatos eróticos. Tel… (Esos sí quiero verlos. ¿Será porque se les sale la lengüeta, o porque duermen el uno encima del otro?).

Bájate la cremallera. Yo haré lo demás. Tel… (Y los que usamos botones, ¿qué?).

Ven, te espero en la carretera de Andalucía para conducirte al cielo. Tel… (Gracias, pero está más cerca la iglesia de mi barrio).

Visito domicilios. Ex modelo internacional. Tel… (Ese «ex» debe de encerrar mínimo 65 años).

Nosotros y tú. Tel… (Me encanta la concisión del mensaje. Si hubiera sido «nosotras», hasta le jalaba).

Señorita culta desea relacionarse con señor de 50 a 60 años con fines matrimoniales, o no. Tel… (Me interesa más el «o no»).

Blanca, Amparo y Gloria ofrecen tríplex. Tel… (¿Tríplex Pizano? Me gusta la marca. ¿A qué precio?).

Travestihogar sadomasoc grecofrancés. Tel… (Vayalcaraj sogranpendej).

Casado vasectomizado e insatisfecho se ofrece a mujeres y parejas para vicio a tope. Tel… (Deben de ser mentiras, no le pongan bolas).

Gordito de 42 años se ofrece, por graves problemas económicos, para hacer tríos con parejas y mujeres. Tel... (Otro embustero. Si tiene graves problemas económicos, ¿cómo es que está tan gordito?).

Señorita agraciada se ofrece como secretaria particular, dispuesta a viajar. Tel... (¿Usted sí cree que mi mujer me lo va a creer?).

Magos del sexo hacen trucos a chicas. Tel... (Y si después del truco resulta un muñequito, ¿también enseñan ventriloquía?).

Sé cómo subirte la moral y otras cosas. Patty. Tel... (La que necesitan el Independiente Santa Fe y la Bolsa de Bogotá).

Busco esclavo lamepiés. Tel... (No conozco a ninguno, pero podría recomendarle despercudir con jabón de coco y después espolvorear con Mexsana).

Sola, triste y totalmente rasurada. Mylady. Tel... (No la entiendo, Mylady: yo soy barbudo, miope y calvo, pero no ando pregonando mis defectos).

Chica vegetariana, solo como banana. Tel... (Cuídese: así empezó Chita).

Mujer casada cuarentona se deja tocar por hombres solventes y educados. Tel... (¿Y cuánto paga por cada toque?).

Para parejas. Chico de 35 años. Me gusta mirar. Tel... (Este sí quiere ganarse la plata fácil... ¿Por qué no se mete de vigía marítimo?).

Nalgas escandalosas. Tel... (Precisa para una academia de aplicación de inyecciones).

Miss Venezuela. Tel... (No es cierto. Gracias a Dios no están tan vaciados).

¿Sabías que las pelirrojas somos ninfómanas? Atrévete. Casandra. Tel... (Eso sí es verdad. Lo digo en mi calidad de antiguo pelirrojo).

Subir, bajar y correr es nuestro jueguito. Tel... (Y, como en el chiste, «de aquello ni hablemos»...).

Cowboy calibre xl. Tel... (¿Aló? ¿Aló? ¿Mister Bush?).

Ven a comerte una manzana. Evita. Tel... (No puedo ir. Está enferma la serpiente. Adán).

Marcos, brasileño, 1,90, trigueño, varonil, body gym, garantizo calidad. Tel... (¡Impávido coloso!).

Piérdete en mis 145 centímetros de pecho. Marina. Tel... (No me perdí en Unicentro en Navidad, voy a perderme ahí...).

Orgasmo 30 segundos, 60 dólares. Tel... (Carísimo: a dos dólares el segundo. En casa lo consigo a veinte pesos el minuto).

Esposa de abogado. Solita por unos días. Tel... (¿Y usted de veras piensa que lo del abogado es atractivo?).

Abuelita cachonda (excitada) busca macho. Tel... (Si lo encuentra, dígame dónde está, que a ese le vendo yo una camioneta Wartburg 1977 que tengo desarmada en un patio).

La palomita quiere volar, 18 años. Jenny. Tel... (Lo siento, Jenny, pero mi mujer es un gavilán).

Katia, 14 años, rubia, te lo hago todo. Tel... (Si es cierto, tenga la bondad de hacerme un dulce de icaco, que ya no se consigue).

Matrimonio y felicidad

Ahora resulta que una entidad llamada Asociación Americana de Psicología ha adelantado una gran investigación en Alemania sobre la felicidad y el matrimonio, y propone una serie de conclusiones solemnes y científicas.

Copio algunas textualmente:

* «El matrimonio produce cierto grado de emoción entre los contrayentes, pero se trata de un sentimiento pasajero y, en muchos casos, imperceptible».
* «El nivel de felicidad que produce el matrimonio es de aproximadamente una décima de punto en una escala de 1 a 11».
* «La mayoría de la gente es feliz, pero nadie es perfectamente feliz ni perfectamente infeliz».

No necesitaba la Asociación Americana de Psicología haber gastado plata en esta investigación que implicó estudiar a 24.000 ciudadanos alemanes. Yo les habría revelado todas las verdades que creen haber descubierto, a cambio, apenas, de un roscón y un kumis. Mientras en el Tercer Mundo falta plata para lo más elemental, en los países ricos despilfarran millones averiguando pendejadas que cualquiera sabe. Yo, por lo menos.

Vamos por partes.

Concluye la enjundiosa encuesta que «el matrimonio produce poca emoción». Por supuesto que produce poca emoción. Salta a la vista que la investigación fue hecha por solteros, ya que, de otro modo, a nadie se le habría ocurrido siquiera formular la pregunta.

«¿Cree que el matrimonio produce emoción?» es como preguntar «¿Considera que oír música barroca engorda?». La respuesta a ambas preguntas es NO. Nada tiene que ver la vida conyugal con la emoción, como nada tiene que ver el tejido adiposo con Bach.

El error consiste en deducir, de este dato innegable, que por eso es malo el matrimonio, porque no emociona, o emociona 0,10. Todo lo contrario: lo bueno del matrimonio es que no produce más que emociones pasajeras y poco intensas. Uno no se casa para emocionarse, sino para estar tranquilo. Para emocionarse hay muchos inventos más baratos: el cine, la montaña rusa, jugar cuclí, tratar de pegarle a una piñata con los ojos vendados o, incluso, lavar el carro todos los sábados con bata y pantuflas de plástico. El día que el matrimonio emocione, nos divorciaremos los que buscamos en él un útero tibio y calmado, un remanso de paz, una deliciosa isla de tedio y rutina.

El mismo error cometen quienes pretenden hallar la felicidad en el matrimonio. No se inventó el matrimonio para ser feliz, como no se inventó para emocionarse. La felicidad se encuentra en una taza de chocolate con queso derretido, en un estadio donde gana nuestro equipo, en un perro que nos lame al llegar a casa, en un crucigrama difícil resuelto a cabalidad, en un sorbete de feijoa. No en el matrimonio, evidentemente.

El matrimonio es para otra cosa. O para otras cosas, como jugar Scrabble, comentar las noticias de radio, calentar la cama, turnarse la salida del perro que nos lame al llegar a casa o grabar un programa de televisión cuando el otro está ausente. Conozco parejas que, incluso, se casan para tener hijos.

El último descubrimiento de esta costosa investigación dice que nadie es completamente feliz ni completamente infeliz. Por Dios... ¿Cuánto tiempo necesitaron para llegar a tan «extraordinaria» conclusión? ¿Cuánto dinero? ¿Cuántos equipos de trabajo? ¿Cuántos cuestionarios? ¿Cuántos ciudadanos alemanes?

Todo eso habrían podido ahorrárselo. Eso también se lo habría dicho yo. Incluso por *e-mail*, para que no gastaran plata en llamadas. Les habría contado que nadie es completamente infeliz, pues los que se consideran totalmente infelices lo escriben —así hacen los filósofos pesimistas— o se quitan la vida. Pero la felicidad que experimentan los primeros al contarlo o la dicha de los segundos al saber que termina tanta desgracia hacen que su infelicidad no sea total.

En cuanto a la felicidad completa, tampoco existe; trátase de una idea inasible, epistemológicamente vacua, metafísicamente improbable, o, como diría el gran filósofo argentino Palito Ortega, «la felicidad, a-a-a-a», planteamiento que entraña una honda crítica al concepto mismo.

Para ser feliz, basta con casarse. Y para ser infeliz, también. Con eso les digo todo, doctores de la Asociación Americana de Psicología.

Vote por Younder Wiarenon

Como si no fuera suficiente con la doble jornada electoral que le tocará organizar, las urnas que habrá de montar y las papeletas que deberá contar en las elecciones que vienen, la Registraduría Nacional del Estado Civil tiene los computadores echando humo por culpa de los candidatos a corporaciones públicas cuyos nombres constituyen un desafío a la lógica, la ortografía, la costumbre y la sindéresis onomástica.

Con la inestimable ayuda de José Roberto Cadavid, veterano explorador de nombres curtido en muchas plazas, he podido detectar algunos de los compatriotas cuya cédula podría atascar en cualquier instante el sistema informático de la Registraduría y dar al traste con las elecciones, el referendo y la democracia formal de este resignado país.

Estos son algunos de ellos. Los transcribo con un solo apellido, para que el lector pueda deducir dónde empieza y dónde acaba el nombre de pila.

Personajes vueltos a nacer:
Carlomagno Castellón
Eisenhower Artunduaga

Yongar Jonson Gordillo
Roselver Antonio Villalba
Nixon Magdaniel Palmezano

Homenaje sobre ruedas:
Renault Paz

Sin tocayos:
Omineme Barrera
Nacime de Jesús Díaz
Gilbert Diofante Vergara
Adair Atenágoras Lamprea
Albarino Arnoe Ibarguen
Cebrián Beningo Pinto
Erminso Corredor
Arismenio Rodríguez
Babislio González
Eparquio Antonio Carey
Drigelio Carrillo
Montegranario Chala
Igmaol Barreto
Lucter Sánchez
Beusario Anacona
Bilraldo Tello
Olimaco Marino
José Domiciono Páez
Magno Fernel
Howanto de los Ríos
Telesfor Mayorga
Populo Alirio Porras

Gruper Giraldo
Obeido Pasaje

Homenaje al balón:
Beckenbuver Ortega
Pelé Car Manrique

Nombres químicos:
Cloro Elguin Losada
Protasio López
Amiodio Albarracín
Plutarco Hernández

Homenaje a la poesía argentina:
Martín Fierro Lobo

Circunscripción de K, X, Y, Z:
Yebrail Pérez
Rovrik Ysmaldo Ivica
Expedicto Prada
Yorill Dick Noriega
Elquis Edulfo Mendoza
José Nexardelli Olave
Gerson Durkeim Corredor
Yugunothwer Chaverra
Keyfelenis Asís
Kennicher Arias
Yateusi Trujillo
Héctor Vikoski Suárez
George Anni Maureen Cuan

Younder Wiarenon Pastor
Wilber Yobaniurian Huertas

No tengo duda de que muchos de estos candidatos, a ninguno de los cuales conozco, podrían ser excelentes funcionarios. Quizás no está muy lejos el día en que Colombia la gobierne un presidente de nombre Kennicher, Yugunowther, Renault, Howanto, Wilber Yobaniurian o el equívoco George Anni Maureen. A lo mejor alguien castigado por sus padres con gracia tan estrafalaria será el llamado a solucionar nuestros problemas.

Pero antes de que llegue ese día se fundirán los discos duros, los programas de búsqueda, los archivos electrónicos y todo el sistema de computación del Estado: la informática es capaz de descifrar el ácido deoxirribonucléico (ADN), pero no está preparada aún para manejar los nombrecitos que nos gastamos en estos tiempos duros los colombianos.

A propósito: ¿cuándo se lanzará el primer José Deoxirribonucléico Pérez en una lista de concejo municipal?

Norma y la vida plena

Mi amigo había reprendido muchas veces a Norma, su hija universitaria, que trasnochaba casi a diario y era amiga de discotecas, salsa venteada, novios y trago. Pero los regaños no servían para nada. Entonces entré yo con mi proverbial don del consejo y le dije:

—Si tratas de obligar a Norma, se aferrará a su vida disipada. Déjale con disimulo en la mesa de noche unos libros de Paulo Coelho, Daniel Goldman, Lobsang Rampa y otros pensadores de la Vida Plena para que veas cómo cambia.

Y cambió. Mi amigo lo supo porque pronto Norma había agotado los primeros libros y compró nuevos títulos. Luego dejó de rumbear, y la plata ahorrada la gastaba en revistas esotéricas y discos de música acuática.

Una tarde, cuando mi amigo intentaba tomarse una cervecita bien fría y ver un partido de fútbol por televisión, Norma se acercó a él.

—Fútbol y alcohol: deja esos vicios, papá. Estas son Realizaciones de la Nada, estás apegado a lo nimio, no a lo Trascendente. La sensibilidad es un reflejo pivote de la conciencia humana y no puede desperdiciarse así. Procura tu propio Entendimiento, aumenta tu Nivel Espiritual de Percepción. Vamos, busca una nueva vida, ¡ea! («Dijo ea, como en los crucigramas», aseguró admirado).

Mi amigo apagó el televisor, vació la cerveza en el lavaplatos y cuando salió de su sorpresa, tres días después, preguntó a Norma qué había querido decirle.

—Quise decirte que todos tenemos una Línea de Partida y una Meta. Tú sigues cerca de la Línea de Partida, mientras que los demás buscamos la Meta. Sabemos que a medida que la persigues, ella también se desplaza, pero así es el Camino de la Luz, que se mueve contigo.

—Como quien dice, «caminante no hay camino, se hace camino al andar»…

—Esas son pendejadas de Serrat. No se hace camino al andar: se hace camino *al proponerse andar*. Esa es la diferencia entre los que aceptan el Desafío de la Vida y los que están Derrotados de Antemano, aunque ganen. Como Serrat. Y como tú.

—¿Como yo? —preguntó mi amigo.

—Exacto. Tú puedes realizarte, papá, en vez de existir como un liquen o una amiba, puedes adquirir la Vida Plena. («Dijo liquen, como en las clases de botánica», aseguró mi amigo). Formula tu propio Reto de Superación e imprimirás una Deriva Favorable a tu vida.

Mi amigo le siguió la corriente:

—¿Cómo podría hacerlo?

—Necesitas un Propósito de Perplejidad, porque si bajas tu nivel de perplejidad, nunca conectarás con tu entorno: ¡de-ja que el mun-do te sor-pren-da! Cuando dejamos de sor-pren-dernos, llegamos a la primera muerte.

—¿Hay varias muertes?

—Sí. La primera es la del espíritu. La segunda, la de la emoción, cuando paras de estremecerte ante la belleza. La tercera es la muerte física: no respiras más, te meten en una caja de madera y chau, al cementerio.

—¡Ni lo nombres!

—¿Por qué no, papá? Ese es el Destino, llámalo Dios, Templo Astral, Eternidad o como quieras. Allí sabremos si el alma vivió de manera Conmensurada con sus Creencias, si el balance de las fuerzas cósmicas está equilibrado. Entonces podrás seguir tu camino.

—¿Ah, pero es que sigue el camino?

—Por supuesto. Más tarde reencarnarás en otro ser y tendrás una nueva oportunidad de trasmutar tu accidente sin trasmutar tu esencia.

—¿Un burro, por ejemplo?

—O un carnicero holandés, o una campesina del altiplano boliviano, o un monje del Tíbet, como ya me ocurrió a mí.

—¿Tú fuiste un monje del Tíbet? —preguntó mi amigo, temeroso de que su hija hubiera perdido el juicio.

—En efecto. Fui Yahutra Hatamanandra, monje nepalés del siglo XVI. Después tuve otras reencarnaciones, pero no te las cuento para que no te preocupes. Lo importante es que tú estás a tiempo de salvarte, y para eso la clave es que te rodees de Energía Sanadora.

—Es decir...

—Es decir, que debes cortar con las personas que te aportan Malas Vibraciones. Samper, por ejemplo. El que escribe pendejadas en *Carrusel*.

Mi amigo prometió que rompería con mis malas vibraciones. Y lo hizo, pero no sin antes maldecirme por haber hundido a su hija, que era una parrandera chévere y retozona, en el infierno de la Vida Plena.

25 cosas que las mujeres
adoran de los hombres

La revista *Aló* publicó un artículo que a muchos nos parece la cumbre del machismo. Titulado «Las 25 cosas que los hombres no aguantan de las mujeres», trata al varón como una especie de sultán ante cuyos deseos y comodidad la mujer debe postrarse genuflexa. Nada de eso, señoras de *Aló*. Ya pasó el tiempo del hombre-amo y la mujer-esclava. Ahora somos iguales.

En desagravio de aquel nefando escrito, y en homenaje a nuestras queridas esposas, nuestras queridas novias o nuestras queridas queridas, he aquí 25 cosas que a ellas les fascinan y que nosotros haríamos bien en acatar con resignación, e incluso con gusto.

1. **Procure mirar mucha televisión y mostrarse indiferente con ella.** Esto será para ella un positivo desafío que la incitará a arreglarse mejor y competir en amabilidades con la caja boba.

2. **Y, ya que hablamos del televisor, no ceda el control remoto.** A la mujer le encanta saber que su hombre es capaz de ejercer el poder.

3. **Absténgase de ayudar en la cocina, lavar platos o realizar trabajos domésticos.** En el fondo,

la mujer siempre teme que uno va a romper algo, cambiar de sitio las cosas o arruinar una buena receta, pero la pobre no se atreve a decirlo.

4. **Lea primero que ella las noticias del periódico y, después de haberlo llevado al baño, tírelo desordenado y mojado en cualquier parte.** Esto mostrará su desprecio hacia el estado actual del mundo y reforzará su imagen de hombre informado e inconforme.

5. **Mire a otras con ojos concupiscentes.** Recuerde que a toda mujer le gusta ser «la elegida» entre otras opciones atractivas.

6. **Corríjala en público.** A ella le encanta demostrar que usted es una persona ilustrada.

7. **Hable mal de su suegra.** Ella es, al fin y al cabo, otra mujer, y en el fondo esto reafirmará la seguridad de su cónyuge.

8. **Si su mujer estrena peinado o vestido, hágase el de la vista gorda.** El amor necesita estos pequeños estímulos negativos que equivalen a un provocador mordisquito en la intimidad.

9. **Nunca le dé mordisquitos en la intimidad.** Eso estaba bien para las primeras novias; pero, a estas alturas, su mujer puede pensar que se volvió antropófago.

10. **Jamás la llame cuando usted está de viaje.** Andar telefoneando a la mujer cuando uno viaja constituye error inconmensurable, pues el día que alguna razón inofensiva —celular sin pila, avión retrasado, reunión inesperada— imposibilita la

llamada, ella pensará que algo terrible ha ocurrido. Evítele la angustia: no la llame nunca.

11. **Espacie al máximo las relaciones íntimas con ella.** Podría llegar a creer que es un viejo verde o un sátiro insaciable. En realidad, resulta altamente sospechoso y ridículo un marido excitado.

12. **Si no tiene más remedio que acometer una relación íntima con ella, quédese dormido en medio del proceso.** Eso le hará ver que es la mujer de sus sueños.

13. **No la lleve a comer a restaurantes.** Podría imaginar que es una indirecta por su bajo nivel culinario.

14. **Tampoco se coma todo lo que ella le prepara.** Deje una parte en el plato. Así entenderá que debe renovar recetas, delicioso tema de conversación con sus amigas.

15. **Váyase con sus amigotes y regrese tarde.** ¡Su mujer necesita descansar a veces de usted, hombre, no sea creído!

16. **Nunca le eche piropos, especialmente en público;** podría ofender su proverbial modestia.

17. **Agote el agua caliente al ducharse.** El agua fría tonifica y es saludable para la tez femenina.

18. **Deje en manos de ellas ciertas difíciles y delicadas diligencias** como apagar la luz, negociar un sobregiro, echar gasolina al carro y llevarlo al taller. Esto la hará sentirse importante y útil.

19. **Guárdese el buen humor y la risa para la oficina y la vida social.** El matrimonio es templo sagrado que exige seriedad, respeto e incluso mal genio.

20. **Si su mamá se siente solita, deposítela en manos de su mujer.** Ellas —¡el eterno femenino!— siempre tienen pequeñas complicidades que compartir. Algunas serán contra usted, pero es preciso ser generoso por el bien de ambas.

21. **Ponga solo los discos que a usted le gustan, y ojalá a un volumen que se oiga en toda la casa**: la música siempre ha sido mensajera de cariño.

22. **Prohíbale leer a Florence Thomas.** Dígale que es comunista o de Al Qaeda.

23. **No se contenga a la hora de expresar su aprobación de un buen almuerzo** o una comida copiosa mediante sonoras manifestaciones no propiamente vocales. Un buen ruido es más elocuente que mil palabras.

24. **Desautorícela frente a sus hijos.** Los niños deben experimentar lo que es una educación liberal y tolerante donde caben diversas opiniones.

25. **En todos los casos, no vacile en exponerle con toda confianza sus dudas y preguntas de compañero.** Por ejemplo, «¿dónde carajos están las llaves?» o «¿quién me cogió el cortaúñas?».

Una buena palmada

Cada cierto tiempo brinca el tema de las palmadas a los hijos. Nuevamente está de moda. Debe de ser la confluencia de ciertos astros, como Brad Pitt y Julia Roberts. Avanza en Europa una campaña para que los padres se abstengan de reprimir a los hijos con castigos físicos. Ya en Suecia se impuso la tesis de que la violencia no debe aplicarse contra los niños. Solo contra las ministras de Relaciones Exteriores.

Franceses e ingleses, en cambio, siguen creyendo que «la letra con sangre entra» y la mayoría considera indispensable alguna bofetada o pellizco cuando los hijos se portan mal. ¿Pegar o no pegar? ¿Es verdad que «una buena palmada» obra milagros? He ahí la cuestión. Esta columna, desvelada servidora de los valores familiares, abrió un consultorio para que padres e hijos expusieran sus dudas y obtuvieran nuestras sabias respuestas.

P. ¿Es peligroso pegar a los hijos?

R. No, siempre y cuando resulte fácil despegarlos después. Fabrican ahora estupendos adhesivos moleculares que permiten sostener del techo a una persona de mediana estatura ¡con la aplicación de una sola gota! Se recomienda en ese caso que lleve casco, por si las moscas.

También se han desarrollado pegantes para atrapar insectos molestos. Lleve alguno, por si los moscos.

P. *¿Qué tipo de castigo corporal es recomendable para el hijo que se comporta mal en casa?*

R. El viejo estatuto de castigos corporales abarca desde el garrotazo al hijo con vocación de gánster que ataca armado a sus padres, hasta el pellizco de monja a la niña con vocación religiosa.

P. *Con qué conviene castigar al hijo varón: ¿con zurriago o con regla?*

R. Según. En ciertos casos, se recomiendan ambos, más cinturón, cachetada, lazo mojado, vara y tablón con puntilla.

P. *Cuando es la hija quien se comporta mal, ¿conviene pegarle con la regla?*

R. Son tan molestos esos días, que resulta aconsejable aplazar el castigo para la semana siguiente.

P. *Mi padre solía golpearnos con la correa. ¿Es esto recomendable en pleno siglo XXI?*

R. Por ningún motivo. En aquellos tiempos los padres usaban simultáneamente correa y calzonarias. Hoy no, por lo que desprenderse de la correa para castigar a un hijo puede traer como consecuencia la caída de los pantalones del padre.

P. *¿Hasta qué edad es bueno pegarles a los hijos?*

R. Hasta los nueve o diez años. A partir de esa edad son los hijos los que empiezan a pegarles a los padres.

P. *¿Resulta aceptable que los abuelos golpeen a los nietos cuando estos les faltan al respeto?*

R. ¡Por ningún motivo! ¡Los nietos son sagrados! ¡Su piel es soplo de Dios, sus nalgas imitan las de los angelitos, sus lágrimas conmueven las más sólidas rocas! Para eso están los padres. Que los padres les den bien duro por burlarse de los abuelos.

P. Aun aceptando que los padres tienen derecho a corregir a los hijos con castigos corporales, ¿es bueno que también lo hagan los maestros?

R. Por supuesto que sí. Pero con sus propios hijos.

P. En las escuelas europeas del siglo XIX los profesores aplicaban penas físicas a los estudiantes. Entre ellas estaban el golpe de regla o de vara, sostener ladrillos en las manos y permanecer de rodillas. ¿Es prudente este método de educación?

R. Parece que sí. ¿No ve lo bien educados que quedaron Hitler, Mussolini, Franco, Oliveira Salazar, Stalin, Beria y otros antiguos alumnos del método?

P. ¿Dónde debe golpearse a los hijos?

R. En un lugar discreto de la casa. No conviene al niño el escarnio del castigo público, ni al padre que se oigan los gritos en el vecindario.

P. Digo, ¿en qué parte del cuerpo?

R. Allí donde menos daño haga, pensando en su futuro. Golpearles la cabeza, por ejemplo, sería una barbaridad, pues todos la necesitarán para vivir. También es peligroso afectarles la cara, sobre todo si se trata de una niña que podría vivir de su rostro bonito. Lo más aconsejable, pues, es aplicarles unos buenos golpes en la cola, a menos que usted piense que su hijo o su hija podrían vivir de ella.

P. Mi hijo vive acompañado de un feroz perro pitbull, cosa que hace muy peligroso todo intento de reprenderlo por los frecuentes insultos a sus padres. ¿Qué me aconseja?

R. Que traiga a la madre del pitbull para que le casque al hijo de perra.

P. Por pura curiosidad: ¿su padre le pegaba?

R. Mi padre no me pegó ni con el pétalo de una rosa. Lo que sí me daba eran muendonones terribles con la misma fusta con que le pegó mi abuelo, y a mi abuelo, su taita. Somos una familia muy tradicionalista.

Chatarricemos y desratricemos

Encuentro en las páginas de *El Tiempo* un verbo inesperado: *chatarrizar.* Deduzco, al leer la noticia, su definición: «Reducir a chatarra buses viejos con el fin de obtener beneficios distritales en otro medio de transporte». En otras palabras, los dueños de bus que acceden a convertir en chatarra los vehículos viejos adquieren el derecho a participar en Transmilenio. Por el contrario, el que se niega a chatarrizar no transmileniza.

Un académico diría que se trata de un barbarismo, pero yo creo que es un acierto. Sintetiza en once letras —nueve, si aceptamos que la ch y la rr son parejas de hecho— una acción muy específica que necesita más de quince palabras para ser descrita. Pienso que el vocablo merece ser adoptado por el pueblo en general y la prensa en particular, a fin de que luego haga tránsito al diccionario. Así como detesto los términos artificialmente estirados y los extranjerismos innecesarios —recepcionar, posicionamiento, influenciar, ofertar, esponsorizar, privacidad— me encantan las palabras que surgen como chispa espontánea y llenan un vacío. Por ejemplo, chatarrizar, que, ya lo vimos, significa convertir en chatarra. Como atomizar (convertir en átomos), pulverizar (convertir en polvo) o atizar (convertir en tiza).

Hay otros términos de cuño reciente que me llaman la atención. Hace poco vi una camioneta de un hombre que se dedica a combatir las plagas; se anunciaba así: *Desratización, Desinsectación*.

Vale la pena parar y pensar. La tal desratización —del verbo *desratizar*, por supuesto— corresponde al efecto de aplicar venenos y trampas destinados a acabar con la presencia masiva de ratas en un determinado territorio: yo desratizo, tú desratizas, él desratiza; desratizamos, desratizáis, desratizan. Y el otro, a lo mismo pero con insectos: yo desinsectaré, tú desinsectarás, él desinsectará; desinsectaremos, desinsectaréis, desinsectarán…

El modelo es perfecto y ostenta una estirpe castellana intachable, que es *desinfectar*. Solo que estos verbos van un poco más adelante y aclaran de qué tipo de desinfección se trata. Y así como hay desratización y desinsectación, podría haber despulguización, despiojización, desladillazación y descucarachización.

—Señora, ¿quiere que le descucarachice la casa?

—No, muchas gracias, ya que mi marido contrató un desinsectador que se encargará de descucarachizarla, deshormiguizarla y descomejenizarla.

Obviamente, el uso del prefijo «des» implica un antecedente que lo justifica. Alguien des-espera porque ha esperado; alguien des-cansa porque estaba cansado; alguien des-anda porque había andado. Pues bien: si alguien desratiza es porque alguien o algo ratizó. Si entra al diccionario desratizar, necesariamente deberá entrar ratizar. E insectar, hormiguizar, cucarachizar, etc.

—Noto muchas moscas en la cocina, mija.

—Es que la basura mosquiza mucho y me va a tocar desmosquizar más tarde.

—Pues de una vez prepárate para deszancudizar la sala, porque está totalmente zancudizada y polillizada.

Es tan práctico este grupo de verbos, y tan sencilla su fórmula gramatical, que merece ser aplicado al control natal de pestes, no solo al que se practica con sustancias químicas dudosas, que es como por lo general se despulguiza, desratiza y desgusaniza.

Quiero decir que si la ratización ha sido muy aguda, hay recursos biológicos más tradicionales y recomendables.

—El depósito está completamente ratizado, doctor. Podríamos pedir a un experto que lo desratice.

—No, Jorge. Mejor es gatizarlo.

—Lo malo de la gatización es que los gatos desratizan, pero luego no hay quien los saque del local.

—Pues después perrizaremos, y verá cómo desgatizan de bien los perros.

—Pero es que son muy sucios, doctor. Seguro que nos excrementizan el depósito. Si seguimos así, acabaremos marranizando o hienizando el galpón para desexcrementizar lo que dejó la perrización que desgatizó a los que desratizaron.

—Está bien, Jorge: vaya y llame al experto.

Vuelvo a donde comencé: la chatarrización. Otro de los encantos de este término y su familia es que, si se los apuntala debidamente con prefijos y sufijos, abren un generoso arco iris de palabras. Nadie duda, por ejemplo, de que muchos de los actuales buses de Bogotá ya han sido prechatarrizados por años de desgaste, y que convertirlos en otro tipo de productos, como algunos plantean, solo equivaldría a semichatarrizarlos.

—Ahí le dejo el bus, maestro, para que me lo semichatarrice.

—Más bien vuelva la semana entrante, porque en estos días tengo que bicicletizar dos busetas.

Ante lo cual yo propondría que, en vez de catalizar los vejestorios del transporte público, los negreticemos, porque solo mi admirado y querido maestro Édgar Negret es capaz de convertir chatarra en poesía.

Mejor dicho, él es el mejor chatarropoetizador de estas latitudes.

Lo que yo sé sobre los flavonoides

Voy a contar a mis distinguidos lectores, gente sensible al tema de la salud, lo que yo sé sobre los flavonoides, su relación con las vitaminas y las calorías y su importancia en la dieta. *Poca cosa*. Eso es lo que sé sobre los flavonoides. Y sé tan poco porque, cuando estaba en plena lectura de un artículo acerca de la cebolla y su importancia en la prevención del cáncer, mi mujer gritó:

—¡Necesito el baño!

Y yo tuve que salir velozmente de ese santo lugar donde me dedicaba también a la lectura y abandonar a mitad de camino el artículo sobre los flavonoides. Lo único que puedo contarles es que el ajo y la cebolla pertenecen a este grupo, familia, pandilla o club, y parece que son buenos para interferir el crecimiento de células sospechosas.

Pero no estoy en condiciones de decir si, para aprovechar las bondades del ajo y la cebolla, es preciso untárselos, tomarlos por vía oral o conservarlos macerados en un frasco e impregnar con su aroma los dormitorios.

Durante muchos años mantuve en el cuarto de baño una densa biblioteca de tratados filosóficos, estudios económicos y boletines de la Academia de Jurisprudencia. Había descubierto que esta clase de lecturas estimulaban mi actividad digestiva. Ya lo sé que parece increíble, pero llévense esta norma: no hay dos intestinos iguales. El mío es muy particular, y eso era lo que le gustaba. Allá él. Desde hace algunos meses, sin embargo, mi mujer resolvió que eran caprichos míos, sacó todos los libros profundos y los reemplazó por revistas sobre temas de salud.

—Esto es lo que corresponde leer a nuestra edad —sentenció.

Y yo, como siempre, acepté su veredicto.

Gracias a eso pude saber que existen los flavonoides, aunque solo pueda decirles poca cosa sobre ellos. Básicamente, lo que ya les conté. En cambio, me he vuelto perito en colesterol, y creo que ya sé distinguir, con solo verlo, el colesterol bueno del colesterol malo. Eso solo me pasaba antes con los conservadores.

También podría revelarles más de un secreto sobre la hipófisis, como el hecho de que controla la orina a través de algo que se llama «vasopresina». ¿Qué es? No pude saberlo. Estaba a punto de leer el correspondiente párrafo cuando me llamaron al teléfono, y mi mujer me obligó a pasar. Cuando quise recuperar la revista, fue imposible: son tantas las que se acumulan entre el bidé —mueble inútil si los hay— que todo artículo no leído es artículo que se pierde.

Casi me pasa lo mismo con los antioxidantes. Pero antes de que mi mujer recortara el crucigrama y se llevara, de paso, el informe sobre el tema que yo pretendía leer, logré ver las fotos de un plátano, un pimiento, un aguacate y un tomate. Esos deben de ser los antioxidantes. Un día, por causalidad, descubriré en otra revista para qué diablos sirven.

Cierta mañana leí un titular que decía: «Radicales libres». Y pensé que mi mujer había cerrado la etapa de las publicaciones de salud y abierto la de las revistas políticas. Pero enseguida supe que se llama así a ciertos efectos metabólicos que producen envejecimiento y cáncer. Lo aconsejable, pues, es hacer como en el gobierno de la Regeneración de Rafael Núñez: que no quede un solo radical libre.

La lectura episódica, desordenada y gástrica de las revistas de salud me ha permitido adquirir un lago de conocimientos con un milímetro de profundidad. Podría decir pocas cosas sobre muchas cosas. Tres renglones sobre la osteoporosis, cuatro sobre la fangoterapia, dos sobre la lictina, una y media sobre los efectos benéficos del boniato en caso de anemia.

Uno de los temas sobre los que más estoy en condiciones de hablar es el de la fibra y sus cualidades digestivas. Mi mujer no solo es hincha de las fibras y cereales integrales, sino que me obliga a consumirlos en abundancia. Justamente a eso se debe que ahora, en vez de pasar en el baño un par de horas cada día leyendo a Platón y analizando a Kant, quedo despachado en par minutos y mi cultura ha disminuido al máximo: un retazo aquí sobre la próstata, otro más allá sobre las maravillosas propiedades de la cebolla como anticoagulante.

Esto, y nada más, es lo que yo sé sobre los flavonoides.

No me toquen a las zorras

Como si la culpa de todos nuestros males fuera suya, ahora le dio al Código Nacional de Tránsito por prohibir las zorras.

Yo entiendo que prohíban la violencia, los secuestros, el robo, la droga, la corrupción, la pedofilia, los maltratos domésticos, el acoso sexual, el exceso de alcohol, el cigarrillo, las grasas saturadas, los irrespetos a la bandera... pero no las zorras, ¡hombre!

Pido consideración por estos últimos representantes de un medio de locomoción que hizo girar al mundo durante miles de años. Detrás de estas pobres carretas tiradas por una bestia (y a veces conducida por otra, lo reconozco) flamea un glorioso pasado de cuadrigas, calesas, landós, carrozas reales, diligencias y coches. Hay que respetar, señores, hay que respetar.

A las zorras les atribuyen todos los males de la circulación, cuando son tan escasas —un cero cero cero no sé cuántos por ciento de los vehículos— que lo mismo podría atribuirse a las cometas la difícil situación de la industria aérea.

«Se pensó en el peligro que representan para el tráfico», alega el viceministro de transporte. ¿Peligro? Vamos a ver. Yo no sé de ninguna zorra que se haya incrustado en una casa, como acostumbran a hacerlo los buses. Ni sé que desde ella se hayan perpetrado atentados o actos terroristas. Ninguna se ha despeñado repleta de campesinos por un abismo. Ninguna se ha incendiado, ninguna ha regado sustancias tóxicas en un río, ninguna anda disparada por la autopista, ninguna desciende por la vía a La Calera en contravía. Conozco muchos conductores que manejan borrachos, pero en cambio las mulas son abstemias. ¿A qué peligro se refiere el señor viceministro? ¿A que andan con lentitud? ¿Y acaso no va lento todo el tráfico? ¿No va lenta la onu? Las pobres zorras pasan más tiempo atascadas que atascando.

Dicen que las asociaciones defensoras de animales aplauden la decisión. Cierto es que algunos zorreros abusan de los fieles solípedos. En ese caso, no hay que desterrar a los animalitos, sino a quienes las maltratan. También hay padres que golpean a sus hijos, pero a nadie se le ocurriría prohibir los hijos.

Son muchas las ventajas, en cambio, que ofrecen las zorras. Empiecen a contar: no contaminan el aire. Más aún, la única contaminación que procede de ellas puede utilizarse como abono. El carromato estimula la vida al aire libre, ahorra gasolina y, ya que se reproduce por medios naturales —salvo la mula, claro—, evita el gasto en importaciones. Además, cuando el animal fallece, su dueño muy bien puede darle un último tránsito, esta vez a la mesa. Franceses, belgas y suizos son grandes consumidores de carne de caballo. Los colombianos pobres ya no ven carne sino cuando un concejal o un rector muestran las nalgas en protesta por algo que no les gustó. Volverían a verla y a comerla si se autorizara el gastronómico post-mórtem del animal. Yo querría saber si el Mercedes Benz que seguramente servirá de vehículo al señor viceministro es capaz de procrear Merceditos. Si su aceite quemado hace florecer los jardines. Si, cuando se le funde el motor, pueden convertirlo en deliciosa y nutritiva fuente de proteínas.

Sospecho que el gobierno se solaza atacando a las zorras porque los ricos y los famosos abusan de la carreta pero no montan en ella. Si así fuera, nadie se atrevería a prohibirlas. Al contrario, me imagino que las revistas se disputarían las fotos de la zorra último modelo que acaba de estrenar Fulanito o la zorra deportiva en la que se pasean Menganito y Zutanita.

Me preocupan esas 15 mil familias paupérrimas que seguirán en la calle, pero ya sin respaldo económico, si llega a hacerse efectivo el veto a las zorras. Me preocupan también los 15 mil animales. Pero más me preocupa saber que, una vez prohibidos los carromatos y los que tiran de ellos, el gobierno y el Congreso se quedarán con el monopolio de las bestias.

Qué hay en un nombre (el mío)

Comparto con ustedes un secreto: siempre he tenido problemas con mis apellidos en el exterior. Cualquiera diría que, siendo un apellido español, Samper debería de tener allanado el camino al menos en España. Pues no. A menudo debo deletrearlo, y aún así lo desfiguran sin piedad. He recibido correspondencia para «Sanper», «Semper», «Zamper» e incluso para «Santper». En un boletín del supermercado de mi barrio figuro como Daniel San Pérez Izano. Lo juro.

Alguna vez, leyendo *La sombra del viento*, exitosísima novela del español Carlos Ruiz Zafón, descubrí un personaje que podría haber sido mi Otro Yo. Se llama Daniel Sampere, nació en 1945 (como este servidor) y uno de sus mejores amigos de la infancia responde al nombre de Tomás. Así me ocurrió a mí. La semejanza era demasiado cercana. Escalofriado, abandoné inmediatamente la lectura, pues a lo mejor allí iba a encontrar claves sobre mi futuro, cosa que no me interesa saber en lo más mínimo.

No le va mejor a mi nombre en Estados Unidos. Forzado por el pasaporte, utilicé durante un tiempo los dos apellidos, y me llamaban Daniel S. Pizano. Pronunciado

Paizano, por si acaso. Luego me quité el segundo, y tuve que resignarme a ser míster Sámper.

La peor situación onomástica la sufro en Francia. Las primeras veces que dije mi apellido al policía de inmigración o al conserje del hotel sonrieron maliciosamente.

—¿*Monsieur* Sans Père? ¿Está seguro?

Luego supe que la traducción al francés significaba «señor Sin Padre», por lo que opté por agregarle el segundo apellido sin solución de continuidad. Ahora soy, en Francia, *monsieur* Samperpizanó. Padre y madre pegados, para que no frieguen.

En los avatares de mi segundo apellido, me han llamado en Italia «signore Pitzano», como si en vez de venir de Pisa descendiera de una pizza cuatro quesos, margarita o, en el mejor de los casos, caprichosa. En cierta ocasión conocí en Milán, por pura casualidad, a un respetable senador de nombre Giovanni Pizano (con una sola zeta) y, emocionado, caí en sus brazos, lo llamé tío y le rogué que se retirara de la política, porque eso no trae más que problemas y dolores de cabeza. Creo que lo hizo. Por lo menos no volví a saber de él.

Otra vez, volando hacia Israel, me pregunté que pasaría si un terrorista secuestraba el avión, se llevaba a los pasajeros judíos y liberaba a los demás. Repasé rápidamente mi situación. El nombre, Daniel, es de origen hebreo; el apellido puede ser el de un distinguido israelí (de hecho, los apellidos españoles que empiezan por un santo como Santo Domingo, Sampedro o Samper, corresponden a judíos conversos del siglo XVI); el aspecto físico encaja en el estereotipo; y otros rasgos tampoco ayudan a marcar diferencias.

El susto se volvió pánico cuando la azafata me dijo:

—Rabino: ¿prefiere comida *kosher*?

Por fortuna no pasó nada, pero duré todo el viaje rezando oraciones católicas aprendidas en mis tiempos de monaguillo.

La reciente aparición de una novela mía titulada *Impávido coloso* me hizo pensar que la búsqueda del título en internet podría brindarme una satisfacción que mi nombre no me daría. Fue peor. Al alimentar el Google con las dos palabras, aparecieron numerosas páginas: Casi todas correspondían a poemas épicos que contenían un impávido y un coloso, aunque separados por decenas, a veces cientos de versos.

Uno versaba sobre una batalla venezolana; otra acerca del combate de Iquique, en Chile; otra más señalaba que en «el coloso tibaseño» alguien anotó un gol y «el portero se quedó impávido». Averiguando más supe que así se llama un estado de Costa Rica, y la impavidez del portero significó el empate entre los clubes Saprissa y Santa Bárbara el 11 de febrero del 2002.

Pero de la novela, nada.

Hasta que por fin surgió una serie de referencias que asociaban el *Impávido coloso* a profusos elogios, entre ellos la palabra campeón. Me llené de orgullo. Mas cuando abrí las respectivas páginas tuve la sorpresa de que no se referían a la novela ni a su autor, sino a un perro, Indio Arerê Impávido Colosso, de la raza fila brasileña, carísimo, que es ídolo en Alemania y tiene allí un hijo con mejores apellidos que cualquiera de nosotros: Aramis Vom Landgut Lichetenau.

Ese es el verdadero impávido coloso, y lo demás son ladridos de novelista principiante.

Otros títulos publicados en Punto de lectura